WORD CIRCLE

ANSWERS TO THIS SECTION ON PAGES
39 - 48

1. MUSCLE

AUTHORITY
BATTER
BUTT
EFFECTIVENESS
ELBOW
ENDURANCE
FITNESS
FORCE
FORCEFULNESS
HEFT
IMPACT
INFLUENCE
JOSTLE
MIGHT
MUSCULARITY
POKE
POTENCY
POWER
PROWESS
ROBUSTNESS
SHOULDER
SHOVE
SQUEEZE
STAMINA
STRENGTH
STURDINESS
TRAMPLE
VIGOUR
WEIGHT

M E P R H S G A V A B T R W O B L E M C

L J O E E E B T O S L O X J V U H J I J

V D W D R V F E H T B E C N A R U D N E

D M E L U K O T H U A M T E E T S R B F

S W R U O O X H S R F H J T T T F N J E

S L C O G H A T S D G B D U A N Q S L C

E Y B H I U N R G I V S B M J J S N Z A

W F T S V E S S E N E V I T C E F F E L

O S E I S T B W D E F N A B N H I N B S

R T T S R L C J X S A U W L A N Q G Q S

P R R D I A O A E S T L U X F T Z V I E

S E A S K B L K P H Y F T L Y S T J P N

Q N M D U F O U O M E W U Q C C P E Y T

U G P Y V P O R C C I E U Q N C V C R I

E T L F T S I R R S N W Y K E U X P C F

E H E Z J T L O C C U A E L T S O J Q J

Z I F N Y K F V E E H M K M O E O P P X

E Q N V Q N S T H G I M X M P U O O G F

2. DEVOUT

C	G	D	N	M	P	K	I	Y	W	S	T	O	G	Y
C	R	G	N	X	E	D	E	F	X	J	Y	U	G	G
W	L	E	L	K	E	V	L	T	N	E	D	R	A	O
N	A	N	V	A	D	K	D	N	U	O	F	O	R	P
E	C	I	P	E	U	Z	O	H	T	O	Q	H	O	J
E	O	U	X	I	R	T	E	W	O	M	Y	E	E	O
A	R	N	P	P	G	E	I	G	C	M	A	R	K	E
R	T	E	I	X	D	K	N	R	Z	Y	E	N	S	O
N	H	F	O	I	E	I	J	T	I	C	G	N	S	T
E	O	A	U	S	V	B	J	B	N	P	E	V	N	E
S	D	R	S	E	O	C	Y	I	N	T	S	E	O	W
T	O	E	I	I	T	C	S	L	N	E	V	A	W	R
H	X	L	Q	J	E	X	O	I	O	R	E	Z	R	U
V	E	B	G	B	D	V	O	L	E	H	L	K	V	G
B	Z	B	V	Y	J	D	D	F	U	N	Y	W	Q	U

ARDENT
BELIEVING
DEEP
DEVOTED
EARNEST
FERVENT
GENIUNE
HOLY
INTENSE
KEEN
ORTHODOX
PIOUS
PROFOUND
REVERENT
SINCERE
SPIRITUAL

3. WORLDLY

ASTUTE
EARTHLY
POLITIC
PROFANE
SECULAR
SHREWD
TEMPORAL
URBANE

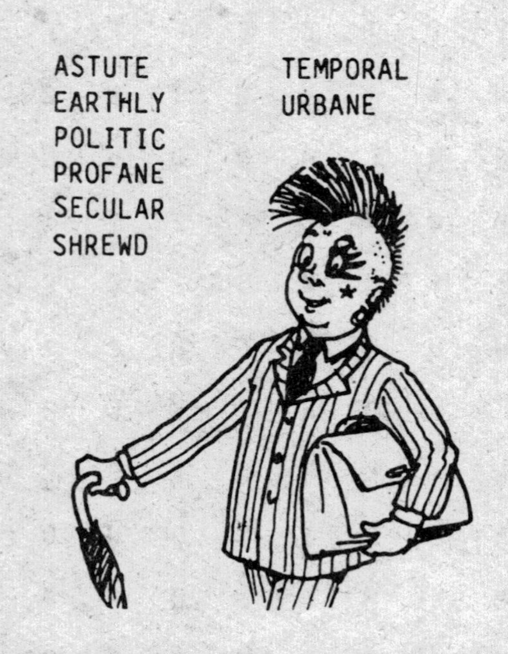

G	L	D	S	R	A	L	U	C	E	S
L	Y	Y	F	F	O	W	P	A	N	C
I	A	E	D	E	D	C	K	K	M	E
P	Z	R	E	W	H	C	E	X	N	A
E	O	N	O	X	E	A	K	A	B	S
A	U	L	R	P	R	R	F	Q	K	T
R	R	N	I	V	M	O	H	Y	J	U
T	B	K	U	T	R	E	E	S	Q	T
H	A	Y	X	P	I	Q	T	J	X	E
L	N	E	I	F	O	C	M	D	I	U
Y	E	N	M	H	D	I	S	K	E	L

4. SECRET

ANSWER
BASIS
BURIED
CABAL
CLANDESTINE
CODE
CONFIDENTIAL
CONUNDRUM
COVERT
ENIGMA
ESSENCE
EXPLANATION
FOUNDATION
FURTIVE
HIDDEN
INTRIGUE
INVISIBLE
ISOLATED
MYSTERY
PRIVATE
PUZZLE
ROOT
SEQUESTERED
SOLITARY
SOURCE
SPHINX
STEALTHY
SURREPTITIOUS
UNFREQUENTED
UNREVEALED
UNSEEN

```
V C F O G I V P D N Y J E L M N T D E L
C D W J B U F H O I N E E S N U X F A H
D J E L B I S I V N I P Z Y Q E C I S V
R E U R V E T L E U U E E W Q C T B R K
E R T U E A T C A Z T N S M I N I S G W
W P F N D T R A Z Y I O U X E E W O Z V
S E D N E U S L V T E R O D X S K L C Y
N M U E O U E E S I D B I R P S I I I R
A O E S L P Q E U N R F T H L E D T Y E
F U W C I A D E U Q N P I K A E E A H T
T Q O U H N E N R O E W T F N U I R T S
R D Q U A I O V C F X S P U A G R Y L Y
E C K L S C D S E R N Y E R T I U E A M
V Z C I N L S D P R U U R T I R B N E O
O B S A S A Q H E H N V R I O T E I T X
C A L A B A C I T N I U U V N N M G S S
B D E T A L O S I R J N S E M I H M L V
F G E Q Y D D J Q S B F X W W S G A G R
```

5. CAREFUL

G	D	A	M	X	R	L	E	N	R	J	X	C	X	T
W	S	I	C	D	M	S	I	L	U	F	D	E	E	H
S	U	V	J	C	K	C	S	J	I	T	D	S	T	G
U	O	A	T	L	U	E	W	D	K	E	U	C	B	O
O	L	X	T	T	U	R	S	F	D	O	E	A	A	B
L	U	T	W	T	S	N	A	R	I	P	H	Z	Z	S
U	C	H	G	N	I	K	A	T	S	N	I	A	P	E
P	I	O	D	K	L	U	U	M	E	E	Y	E	T	R
U	T	U	O	I	G	A	U	T	I	G	P	S	R	V
R	E	G	L	J	C	C	P	N	Y	R	P	I	E	A
C	M	H	X	G	R	V	J	E	G	C	E	C	L	N
S	H	T	B	I	F	Z	S	D	T	A	W	E	A	T
Z	K	F	C	O	R	A	L	U	C	I	T	R	A	P
W	F	U	W	O	A	Q	H	R	E	R	R	P	T	C
G	P	L	L	S	Y	H	B	P	W	Q	P	F	R	V

ACCURATE
ALERT
CAUTIOUS
CIRCUMSPECT
GUARDED
HEEDFUL
METICULOUS
OBSERVANT
PAINSTAKING
PARTICULAR
PRECISE
PRUDENT
SCRUPULOUS
THOUGHTFUL

6. CARELESS

FORGETFUL
INACCURATE
LAX
OFFHAND
RASH
REMISS
SLOVENLY
UNTIDY

J	W	I	K	S	S	I	M	E	R	S
M	B	N	V	E	A	J	C	K	I	Z
C	S	A	Y	L	N	E	V	O	L	S
Y	Y	C	H	O	U	O	D	S	I	R
D	P	C	B	O	F	P	P	V	R	R
I	H	U	I	F	J	M	N	A	W	Y
T	A	R	H	X	Y	M	S	Z	Y	Q
N	E	A	W	D	Z	H	K	Y	L	L
U	N	T	H	K	F	J	S	D	A	J
D	G	E	W	B	A	X	S	X	J	I
Q	T	L	U	F	T	E	G	R	O	F

7. SCORE

ASSAY
BERATE
CANCEL
CENSURE
COUNT
CRITICIZE
CROSS OUT
CROSS-HATCH
CUT
DENOUNCE
ELIMINATE
EVALUATE
EXCORIATE
FLOURISH
GRADE
MAKE
MARK
NICK
NOTCH
PREVAIL
PROSPER
RANK
RATE
RECKONING
RECORD
REGISTER
RULE OUT
SCOLD
SCOURGE
SCRATCH
SUCCEED
TALLY
TRIUMPH
WIN

N	I	W	J	U	C	A	Y	C	O	Z	S	D	K	I	E	M	F	B	C
C	W	E	T	A	R	B	F	T	D	C	A	C	X	T	F	S	E	E	A
R	D	R	O	C	E	R	D	P	O	B	U	T	A	W	C	X	H	F	N
F	E	G	Z	A	B	D	D	U	R	H	A	U	L	O	C	T	Q	E	C
T	E	P	Q	M	J	E	R	B	C	E	L	X	L	O	U	G	L	B	E
K	R	G	S	J	N	G	C	T	A	A	G	D	R	O	Y	I	V	T	L
R	A	I	N	O	E	V	K	R	V	M	C	I	S	N	M	A	U	E	Z
A	B	U	U	I	R	F	N	E	I	Y	A	S	S	I	I	C	S	D	E
M	H	N	C	M	N	P	A	M	X	T	O	O	N	T	M	C	F	S	P
S	C	Y	U	A	P	O	R	R	E	R	I	A	I	N	E	S	K	R	A
E	H	R	B	D	C	H	K	K	C	B	T	C	O	P	R	R	E	T	E
R	T	N	U	O	C	A	O	C	H	E	L	H	I	H	X	V	U	R	M
V	X	A	K	X	P	M	O	J	E	E	E	C	C	Z	A	O	U	A	P
M	X	H	S	I	R	U	O	L	F	R	T	T	L	I	E	S	K	G	T
D	C	E	G	E	D	A	R	G	A	I	A	O	L	L	N	E	Z	A	M
T	D	E	E	C	C	U	S	C	S	R	R	N	U	E	T	U	L	W	A
H	C	T	A	H	S	S	O	R	C	T	E	R	C	J	B	L	D	U	Z
S	M	S	Z	P	J	V	Y	S	O	P	B	Z	J	H	Y	B	E	P	S

8. SAVE

D	E	F	R	T	O	D	R	O	G	H	K	V	X	A
S	R	G	I	X	H	Z	E	Y	Z	O	T	B	C	C
K	E	A	E	O	V	P	V	K	R	R	B	C	L	L
Y	W	T	O	A	G	Y	O	W	E	Q	U	M	D	E
I	D	R	A	H	G	N	C	D	S	M	B	N	X	V
S	R	W	Q	S	F	T	E	R	U	S	A	Y	M	R
A	A	Y	O	M	I	E	R	L	E	B	X	P	B	E
L	U	R	N	R	M	D	A	S	S	S	G	X	E	S
V	G	G	U	Q	E	T	E	U	Y	M	E	H	K	E
A	E	D	F	S	E	V	H	P	O	S	X	R	F	R
G	F	M	C	T	N	B	I	S	A	S	H	G	V	P
E	A	M	D	O	P	R	N	L	S	T	P	O	Q	E
D	S	L	O	R	Q	A	J	A	E	E	T	E	L	J
A	M	Y	P	E	R	W	M	D	E	D	M	I	M	D
R	C	S	Q	F	T	A	O	K	H	Q	X	E	T	X

ACCUMULATE
AMASS
DELIVER
HOARD
HOLD
HUSBAND
KEEP
PRESERVE
RANSOM
RECOVER
REDEEM
RESERVE
SAFEGUARD
SALVAGE
SET ASIDE
STORE

9. SACRIFICE

ABANDON
CEDE
FORFEIT
FORGO
INCENSE
MARTYR
RENOUNCE
VICTIM
YIELD

D	Q	E	K	M	R	F	L	W	I	C
Q	L	M	C	F	A	E	B	N	D	W
F	Z	E	C	N	Y	R	C	I	C	M
X	V	P	I	I	U	E	T	J	V	A
H	I	G	S	Y	N	O	K	Y	G	B
U	C	N	B	S	B	I	N	S	R	A
O	T	I	E	F	R	O	F	E	S	N
G	I	P	X	E	E	W	H	B	R	D
R	M	S	K	Y	D	B	K	U	H	O
O	J	Y	O	Q	B	E	R	N	Y	N
F	U	O	J	A	B	I	C	Y	N	N

10. JOKE

ABSURDITY
BANTER
BUTT
CHAFF
CRACK
FARCE
FOLLY
FUN
GAG
GAME
GIBE
JAPE
JEST
JOSH
LARK
LAUGH
LAUGHING-STOCK
MOCK
PLAY
PRANK
QUIP
REPARTEE
SPORT
STORY
TARGET
TAUNT
TEASE
TRICK
WITTICISM
YARN

N O K K L N P J N Y A L P R Y U O K M M
H L B C A W O E Z B K E S X T I I G N O
V N O Z O S A N R A Y Y T J I K C O M E
B F H V H T M Z H Q E N E A D P X H R N
X T N I M J S S G C Q S V I R R V I D L
L M R S H K M G R K T J O A U G E H L C
M W Y O Y M C A N T A L N Q S L E L I W
S X R J P V F I D I S K C Y B Z A T E M
I J O R J S Y Z R V H V W E A M O U C R
C B T X G H G U E T C G Z C S H F I G M
I A S I I P E T W R T J U Y Q A N H V H
T C B D I M E R A B N L K A Q O E N H G
T E F U A E I C A U C P A T L Z B T F Y
I D Q G P I K N F K N J X I L S I I L L
W Q B Q S O T B K E E T R A P E R L V T
Q U U R G E T K W B F P A S D B O K X V
O N T T R D U E P A J D Z A J F F A H C
S U T K R A L H A V H K D P P G A G X D

11. TURN OUT

A	N	T	U	O	T	S	A	C	P	X	X	R	E	D
R	Q	L	D	E	R	U	C	C	O	F	E	I	I	H
O	O	K	T	J	G	K	T	L	Q	S	W	S	V	V
U	T	Q	D	R	W	D	Z	A	U	R	M	S	X	M
R	X	N	M	E	U	T	O	L	E	I	V	S	Z	G
H	F	Z	I	Q	P	E	T	L	S	S	J	P	C	R
X	N	E	V	W	Q	O	S	S	S	M	N	G	Z	N
E	V	T	O	I	O	I	R	Q	C	I	I	U	E	W
V	C	C	W	U	Y	R	H	T	E	L	D	P	Z	E
L	Y	E	O	K	Z	I	G	D	A	O	P	U	J	T
O	T	J	R	E	R	I	P	S	N	A	R	T	G	F
V	P	E	K	Y	Z	Z	Z	D	H	B	A	J	Z	B
E	W	W	O	E	B	H	S	I	N	A	B	F	O	Q
H	G	D	U	L	P	O	L	E	V	E	D	P	M	S
J	B	B	T	I	U	P	E	G	R	E	M	E	Z	L

BANISH
CAST OUT
DEPORT
DEVELOP
DISLODGE
DISMISS
EJECT
EMERGE
EVOLVE
GROW INTO
HAPPEN
OCCUR
RESULT
TRANSPIRE
UNSEAT
WORK OUT

12. TURN OVER

ASSIGN
CAPSIZE
COMMISSION
CONSIGN
CONVEY
OVERTURN
RENDER
TOPPLE
UPSET

C	C	C	Q	L	V	S	P	R	D	W
A	N	R	U	T	R	E	V	O	B	C
P	P	J	T	Y	M	J	W	R	O	R
S	S	X	I	O	A	I	E	M	A	E
I	C	V	G	L	B	L	M	N	S	N
Z	G	S	U	X	P	I	G	Y	S	D
E	I	Q	B	P	S	I	U	E	I	E
X	Q	Y	O	S	S	G	R	V	G	R
L	M	T	I	N	G	E	I	N	N	B
G	S	O	O	Q	G	A	T	O	E	I
D	N	C	V	N	T	S	Y	C	T	Z

13. NEGLECT

ALONE
BLINK AT
CARELESSNESS
DERELICTION
DISREGARD
EVASION
FORGET
GLOSS OVER
HEEDLESSNESS
IGNORE
INACTION
INATTENTION
INDIFFERENCE
INDOLENCE
LAXITY
LAXNESS
LET SLIP
NEGLIGENCE
OMISSION
OMIT
OVERLOOK
OVERSIGHT
PASS BY
PROCRASTINATION
REMISSNESS
SHIRK
SKIMP
SLACKNESS
SLIGHT
WINK AT

U W O R X C S E T H G I L S Q J N V R D
D F M U O F R O S D Y J Z L J O O K E E
E T I B M O Y M I S N L D A I E I Q M W
R A S S N R S S I O E F E T Y M T E I O
E K S G W G R S I W M N A T R I C Z S V
L N I I Y E M T E R S N S T S N A I S E
I I O O G T N D E N I P E S E L N H N R
C L N A S E J V Y T S J A G E Z I C E S
T B R D T J O A S O L S I S R L O P S I
I D W T O S E A L A W L E N S K D O S G
O T A V S L R V X O G P K L S B D E O H
N N Q O K C E N A E N O M I E I Y M E T
I S L R O D E N N S O E U I N R I H T H
U G I R R S V R C L I C C Q K T A G A C
R H P Z S S B S R E K O C E C S R C K H
S Z E C N E R E F F I D N I A T D T N M
J Q O H V V V P X C U Q R C L N Q H I F
V O O O G O Y T I X A L U K S N M Y W M

1. Opposite of forward
2. Unduly postponed
3. Kept waiting
4. Closely packed together
5. Slow-witted
6. Faltering
7. Overdue
8. Moving too slowly
9. Tarrying
10. Later than appointed time
11. Lengthened in space
12. Loose
13. Lacking intelligence
14. Reluctant
15. Having great breadth
16. Refusing to rush

1. B - - - - - - -
2. B - - - - - -
3. D - - - - - -
4. D - - - -
5. D - - -
6. H - - - - - - -
7. I - A - - - - - -
8. L - - - - - -
9. L - - - - - - - -
10. O - - - - - -
11. P - - - - - - - -
12. S - - - -
13. S - - - - -
14. T - - - -
15. T - - - -
16. U - - - - - - - -

A DOUBLE PUZZLE
Solve the clues to find the list of words hidden in the puzzle. The answers are in alphabetical order.

M	L	Z	X	K	H	B	N	Z	H	D	K	T	U	T
S	R	A	E	R	R	A	N	I	I	L	H	B	N	X
I	W	D	G	B	A	N	W	Z	D	I	D	A	N	G
D	E	R	A	G	U	E	I	D	C	L	T	I	D	K
D	G	A	J	I	A	D	S	K	D	I	W	L	E	M
E	T	W	L	A	E	R	S	N	S	U	O	W	G	F
Y	S	K	X	I	D	M	D	E	E	F	L	K	N	P
A	S	C	U	D	N	E	H	G	L	D	T	L	O	G
L	T	A	N	G	Q	G	I	D	T	V	Y	G	L	O
E	U	B	T	P	Y	Q	E	R	W	D	W	C	O	V
D	P	E	U	K	V	T	G	R	R	O	O	O	R	E
V	I	X	C	Y	A	D	H	A	I	U	V	T	P	R
D	D	A	N	L	R	U	T	Z	V	N	H	X	Q	D
V	L	R	E	H	G	G	T	P	P	A	G	N	U	U
S	X	B	J	C	R	P	F	V	O	K	E	R	U	E

14. SLOWCOACH

15. PURSUE

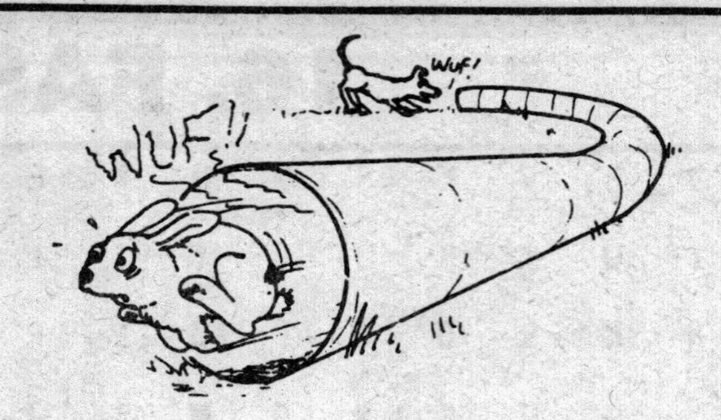

ADVANCE
AIM
ASPIRE
BADGER
BESIEGE
CHASE
CRAVE
CULTIVATE
DESIRE
ENGAGE IN
EXHAUST
FOLLOW
FORGE AHEAD
FORWARD
GO AFTER
HANKER FOR
HARRY
HUNT
LONG FOR
MAINTAIN
MOVE FORWARD
OPERATE
PERFORM
PERPETUATE
PESTER
PROCEED
PROGRESS
RUN AFTER
SHADOW
STALK
TAIL
TRAIL

P Y Y S Q E W R M G R Z G H P P D L R N
P I M T D R K T D M R B J E U M R O I A
P T C A B W A E Q R E E R G A N F S D W
Z R K L F I S Q S S A F T I E R T R E R
L R O K L O U E I A O W N F E B O W E E
A Y E G Q V R E C R H T R K A E O T C X
D T R T R B G G M N A C N O T O S P O H
S R K E F E A C E I A A Y A F E G E R A
L G A M H A S D N A H V U T P E T O P U
O K I W A B N S G Y H T D W J A V E O S
N A A U R J F U E E E E O A R X R O K T
G F G D R O A X R P R L A E N I O N M M
F U Z L Y I F P R L L X P D P S R W I E
O E R I S E D E I O J O J S E L P O G S
R F L O B T P A F C A V A F L N Q D P R
W H H F J K R A E T A V I T L U C A B P
E X S H P T M O H L M I Y E S H P H I Z
N I E G A G N E X Z F S E V A R C S G Z

16. FAST

V B W K S W D P E V G P C I O
I W S S U U I I I L X C R Y T
N K R D U F O M P E A G Q T S
Y O F E W O M I J A P Y N J A
D Y T U C O I B T U R A O D F
E Q T N V K W C V I T Q F L D
E Y U A A Y L S A S D Q T S A
P D B I A W R E N N X E T K E
S L E M C W L O S X E U P F T
E J Q X Z K C D N S Q T E X S
T E Y K I Y L T N A T S N I E
F M Z E H F E S C I Q R K K C
E D E T A R E L E C C A I Z A
D X D X L W T V F N F V D Z P
G Y Z H W Z W G M D M L K F A

ACCELERATED
APACE
CONSTANT
DEFT
EXPEDITIOUS
FIXED
IMMOVABLE
INSTANTLY
LOYAL
QUICK
RAPID
RECKLESS
SPEEDY
STEADFAST
TENACIOUS
WANTON

17. SLOW

ARREST
DELAY
DULL
GRADUAL
HINDER
MEASURED
OBTUSE
SIMPLE
TARDY

I U X P M L P W W E U
Z L A M E U Q X S E D
T X A K A X P U T D E
W A S U D R T E G U Z
H E R E D B R R B L S
O V L D O A H E T L G
F A C J Y U R O S B S
Y Y I Y A S Z G T T N
H B W J Z R E D N I H
F Z D E R U S A E M W
E L P M I S J H F Q H

18. REASON

ALIBI
APOLOGIA
ARGUMENT
BASIS
CAUSE
COGITATE
COGNITION
CONCLUDE
CONSIDER
CONVINCE
DEDUCE
DELIBERATE
DESIGN
END
EXCUSE
EXPLANATION
EXPOSTULATE
GOAL
GROUND
INFLUENCE
INTELLIGENCE
INTERPRETATION
JUSTIFICATION
LOGIC
LUCIDITY
MOTIVE
OBJECT
RATIONALE
REMONSTRATE
SOUNDNESS
STUPIDITY
TARGET
THEORY
THOUGHT

T P A G T Q X V Y C X O A N B L B K Q P
C W V A F T Z K O E T A L U T S O P X E
E N O I T A C I F I T S U J A G K C V R
J H E L E K T L A H V D J Y O J A I E I
B E J X P N T H O I V N T A C U T D N B
O X C I P L D U E C G I L O S O I T A C
G S Y N J L G E O O D O G E M S E S O T
M F S T E H A G L I R I L E N R I N R R
A R R E T U N N C I T Y C O P S C G E E
R A W L N I L U A A B N C R P L E R M S
G T Z L T D L F T T I E E C U A T O O U
U I B I L A N E N V I T R D I E O U N C
M O O G F D J U N I A O E A G G E N S X
E N Y E P E W O O T U Q N R T Z O D T E
N A O N R D C Q I S T N A Q Z E Z L R R
T L N C X U U O A O K T E C Y N L V A K
Q E Y E L C N M Y T I D I P U T S N T U
D Y I F F E M P Q N G I S E D C O M E T

19. STIFF

ARDUOUS
AWKWARD
BRISK
BRITTLE
CEREMONIOUS
CLUMSY
CONSTRAINED
CRAMPED
DEMANDING
DIFFICULT
FIRM
FORCED
FORCEFUL
FORMAL
GRACELESS
HARSH
HEADY
HEAVY
INFLEXIBLE
INTENSE
LABORIOUS
MANNERS
PEDANT
POWERFUL
PRIG
PRIM
PRUDE
RIGID
RIGOROUS
SEVERE
SOLID
STARCHY
STEADY
STILTED
STRINGENT
STRONG
STURDY
TAUT
TENSE
TOUGH
UNGAINLY
WOODEN

Y D A E H S F D E C R O F K
P E M K E E S N E T W Y D S
R Z J V F C R G A X H W A I
U N E D O O W O J B N D W R
D R W H D O O B W S J G K B
E P S S E L E C A R G F W C
E L B I X E L F N I J O A D
Q V G N O R T S D V P R R N
Q E S N E T N I H S R C D S
D V U S W Q L L U I I E W T
I U O P I O B O Y E M F H R
F B R S S D U C Y V C U A A
F M O U Z D E D L E A L R I
I D G Z R N A M R U F E S N
C E I A W E S E A O M B H E
U P R B T Y M Z R N S S S D
L M A S R O X M E T D U Y N
T A B J N I A J I A O I E E
P R G I E L T L Y I P O N U
X C O U C P T T R D S S N G
S U N U G E M O L T R G H P
S Y P B D R B S R E A U L W
U S E X I A Y I N I D T T R
F T D F L Z N N N I U A C S
H A A T Q G A L G A S V F H
F R N F E M Y I T I T P G H
L C T N M I R T T B P U Q Z
F H T A L U F R E W O P Q Y
H Y N G P O W C L T G I R P

20. RIGHT

X I Y X O D O H T R O G S N X
Y G U Z M W N H M R X S P O T
E L T I T V E N J X E R M R C
U F E T E U L Q X N A A E M A
D L Y T H X W Y D S D T T A X
C E C W A F P O C A J I I L E
T J C Y D R O R E N U O U D M
C R B I E G U I O E S N Q J H
E Y U N D S K C T P T A A A Y
R R T T Q E Y H C C R L V D R
R E W I H S D T U A I I N U V
O M O S B Y K L G N D E E S O
C E F M T O D R Y Q M A Y T H
H D T J I Z R K P A J P O X Y
R Y K D J C S P O V Q N V W L

ACCURATELY
ADJUST
AMEND
CORRECT
DECIDEDLY
EXACT
GOODNESS
NORMAL
ORTHODOXY
PROBITY
PROPRIETY
QUITE
RATIONAL
REMEDY
SANE
TITLE
TRUTH

21. WRONG

M X K C S V M E O U E
V W G S W I S A N P U
E G H X S L N F J W R
G R D R A A I F F L T
A I S F Q T M Q U O N
C E Y E A M I I B L U
T V S K R X S T S C S
P A I G T D D P C S Y
E N Y D M R E N G V X
N C B V H T E A Q K R
I E M Q V T D N I D O

AMISS
FALSE
GRIEVANCE
INEPT
MISDEED
SINFUL
UNFIT
UNTRUE

22. QUITE PLEASING

ADEQUATE
ADVANTAGE
ATTRACTIVE
BEHALF
BENEFIT
BENEVOLENT
CHOICE
COMPETENT
CONFORMING
CONSIDERABLE
EFFICIENT
ENJOYMENT
EXEMPLARY
FAVOURABLE
FIRST-RATE
FULL
GAIN
HONOURABLE
KIND
LARGE
ORTHODOX
PLEASING
PROPER
PROSPERITY
RELIABLE
SATISFACTORY
SELECT
SUITABLE
TRUE
TYPICAL
VIRTUOUS

K F F I N L C Z T I E H V P W L H T N L

E F J T M H A I C G B L L C L Q W M F E

N L R O O A F N A O J E T A U Q E D A T

P U B I D E Q T P C N W N S R G X B G A

E L C A N N N A Y R O S X E W G D V A R

H E E E R A I K R K O M I L V U E E I T

O H B A V U V K O O Y S P D X O V L N S

N V F D S F O S T I O C P E E I L L Z R

O I A L F I L V C E O Y V E T R Z E F I

U R I D A L N E A N F G R C R E A E N F

R T C Q L H L G F F S F A A O I N B K T

A U R U R B E O S U H R I R L J T T L L

B O F E A V R B I L T T T C O P U Y A E

L U O I P M C T T T O H C Y I D M C Z C

E S L M I O A O A P O M M E I E I E A V

N E P N C B R D S D S E S K L P N F X L

R A G P L R H P O B N F G M Y E C T J E

L I Y E F O D X G T M A D T Q S S F Q T

1. Good to eat
2. Appealing
3. Unblemished
4. Chaste
5. Just
6. New
7. Reliable
8. Truthful
9. Courteous
10. Fit
11. Unpolluted
12. Genteel
13. Level
14. Immaculate
15. Linear
16. Flawless

1. A----------
2. A----------
3. C----
4. D------
5. F---
6. F----
7. G---
8. H------
9. P------
10. P------
11. P---
12. R-----------
13. S------
14. S--------
15. S--------
16. U---------

23. PERFECT

```
J E K B W N E P S Q N S D B H
Q L N X F C C M X Q T A M K P
L O F P A S O F W R C C E T X
H Q G X L O C S A E T U P L B
S A A Z T D P I V I P N U R C
A X E H E O G I J S R T R E E
J R U C T H T M V B A A E S T
K D E L T C T E U I P I D P I
Q N E P A G V S T E K N Z E L
T S V R O N O P E Q D T P C O
S T T G P R W O C N S E I T P
X T I E A I P D D N O D Q A C
A G N I Z I T E P P A H Y B T
H S E R F M E K Z N W G Z L J
D U Y Y B N X W E Q Q D Y E S
```

A DOUBLE PUZZLE
Solve the clues to find the list of words hidden in the puzzle. The answers are in alphabetical order.

24. FIRM

ANCHORED
COMPACT
COMPRESSED
CONFIRMED
CONSTANT
DECIDED
DECISIVE
DETERMINED
ENDURING
ESTABLISHED
FAST
FIXED
FLUCTUATING
IMMOVABLE
OBDURATE
RESOLUTE
RESOLVED
RIVETED
SECURE
SETTLED
SOLID
STABLE
STATIONARY
STEADFAST
STIFF
STOCKY
STOUT
STRONG
STUFFED
TOUGH
TRUE
UNFALTERING
UNWAVERING
UNYIELDING

Q F Q T T H E I X I D E R I D S T G Z T

D G F U S L R F B E T Z T R T R I Q J W

F E O I B A G M F A Y S E A D L R S Q Y

T T X A T X F F R C A S T E C R I T U K

S R T I Y S U U O F O I L O S S V R W C

R S U D F T D N D L O T N R O G E O O O

E L G E S B F A U N T S V L L N T N E T

V L N N O I E T A E T G E T I I E G L S

I I I I R T E R S A N S R B D R D T B D

S H R M S O Y G N I T A U T C U L F A E

I J E R H X M T R A V D P R F D F E V S

C D T E A M E E B D Z V E T W N N M O S

E E L T X T V L E A H S D A C E P M M E

D R A E L A I D E R O H C N A A B K M R

L U F D W S I Q V L T F B I E F P Q I P

D C N N H C E P V B R A V X F K W M A M

Z E U E E Q I E G N I D L E I Y N U O O

L S D D U I D J E W W C H G U O T W R C

25. JOINT

```
H E E O K P Z D H C A T T A H
V R S N R H M B E S O O D Y Z
V C I G R D X C S N E M S O S
G L X O H E H O S A I Z M E U
I T Q D A T K L U G A B G O T
U J T D P R S L M R R M M C N
H N V K Z E C E L C E W E O W
K O I Q G C N C V N I N V I C
U S K Q E N O T T E N S U S M
N N S E N O I I E O R M E D O
X E I J F C T V C U Q C E N R
A C T T W F C E P Z T I I C T
C I P S E N N A N I L O E I I
I A W F A D U B O L J Y Z L S
M E O Z P F J N A M K W V Q E
```

ALLIED
ATTACH
COLLECTIVE
COMBINED
COMMON
CONCERTED
CONNECT
FASTEN
JOIN
JUNCTION
LINK
MORTISE
SECTION
SEGMENT
SEVER
UNION
UNITED

26. SEPARATE

```
B D E N I O J N U W Z
N D F D L T I L P S D
G O I L E A M L P I U
M Y I S F C V V E S Q
K E N T S H R V B W Q
E J Z M C O A O Q R P
F J X A D E C N V B I
M N T L L Z S I Z I A
Y E L C F H Q C A S D
D U O J G J T T F T W
C U T C A R T S B A E
```

ABSTRACT
CLEAVE
CULL
DETACH
DISSOCIATE
DIVORCE
SECTION
SPLIT
UNJOINED

27. GLORY

ADORATION
BASK
BENEDICTION
BLESSING
BRILLIANCE
CELEBRITY
DELIGHT
DISTINCTION
EFFULGENCE
EMINENCE
EXULT
FAME

GLITTER
GLORIA
GRANDEUR
HONOUR
HOSANNA
ILLUMINATION
JUBILATE
LUXURIATE
MAGNIFICENCE
NOTABILITY
NOTE
PRAISE

PRESTIGE
PRIDE
RADIANCE
REJOICE
RENOWN
REPUTE
REVEL
THANKSGIVING
TRIUMPH
VAUNT
WORSHIP

Y C T Z H V Q B C L T O E C N A I D A R

G E H N A I S F R G H N K B E W U P W E

Q L A J N M Z M A I O W U S N A C V F H

O E N F N T E D V M L Z S A A V E F G N

X B K Z A G N I S S E L B L V B U D L A

Z R S F S F N O I T A N I M U L L I O P

T I G M O K U L S A T E J A G S K S R K

K T I W H E E W D E C U G E N B T T I E

E Y V N G V O O T N B R N Y E C T I A M

C N I X E R R A E I A C E N U R E N T I

I O N R S A I C L N E G E N I G M C L N

O T G H T R I A D T H D L U O B I T U E

J E I I U F T E P Q I O M I E W B I X N

E P O X I E U R P C Q P N J T T N O E C

R N U N S R A P T L H S R O F T U N L E

U L G Y T I L I B A T O N I U M E P B I

K A O M S U O A T H G I L E D R Z R E K

M M Y E O N R C O U E G I T S E R P J R

28. PART

F X F P N O I T C E S D M O
H D Q B T H I E Y C I G E R
E D I V I D Y E D S U T Z E
W A V S C H L F C U A L F T
D K L T S G Y O I N L R L L
R E Z I N O N I I S A C T I
T E R I E N C M J G S R X F
X T S E E N I I M K A A I E
V A H C V L A E A E L Q L T
C C T T E E N T T T D J S C
V R F J X T S M E E E N X S
M A T C E L E S H T I U P D
U M C Y R R T C A A N F T I
U E A P E R A G G A D N S V
C D T N A T E A T D I I I O
E H D N E R T T C I S X F R
N V G D G I A L S S T D T C
P E A E P C K U D C I I D E
E A S E H O N N E R N S D R
T T R E L D J B N E G C W I
A I D T E C R X I T U O Z C
C S N R I I J S O E I N R P
O C D T V C H M J K S T G I
L R U E E K U N N I H I N S
L E N C B R R L U X B N B O
A E Y U N R V P A I W U M L
V N O T J H E E N R M O J A
G J K J D S Z A N T A U C T
G Z E C W D L S K E F S V E

ALIENATE
ALLOCATE
BREAK
CLASSIFY
CLEAVE
CULL
CUT
DEMARCATE
DETACHED
DISCONNECT
DISCONTINUOUS
DISCRETE
DISSOCIATE
DISTINGUISH
DIVIDE
DIVORCE
ELIMINATE
ESTRANGE
EXCLUDE
FILTER
FRAGMENT
INTERVENE
ISOLATE
PARTICULAR
PIT AGAINST
REND
RIVE
SCREEN
SECTION
SEGREGATE
SELECT
SEVERED
SIFT
SINGLE
SUNDER
TEAR
UNATTACHED
UNJOINED
UNYOKE

29. FIRE

AGONY
ANGUISH
ARDOUR
BLAZE
BONFIRE
BRAND
BURN
CALAMITY
COMBUSTION
CONFLAGRATION
DAZZLE

DETONATE
ELECTRIFY
FEVER
FLAME
FLARE
FOMENT
FUEL
GLORY
GLOW
HEAT
HOLOCAUST

IGNITE
IMPASSION
INFLAME
KINDLE
LIGHT
PASSION
SCOURGE
SPARKLE
TORCH
WHET
WILDFIRE

E Y C G Y E M F Z C L R L X W D C Z N A
B T I L L L R U D U J H E E E F B O E T
Y U A A G O L A B L I X X V L O I H K S
N I R N N N W E L D N I K A E T V E M X
O Q V N O O K R P F F Z M C A F S A L S
G B G H N T I Y U U H E A R W Z I T P S
A R Y W O Y E S W S U S G V F N W A L T
P A E I I R N D S X R A N U F B R Z E E
B N T B T U P S I A L Z L L E K T E U H
C D I I S O W X R F P E A E L H N B F W
C H N P U D B Z N F G M R E E O O E Z E
A H G B B R N O F R E I I X C L I R T L
L S I I M A C M U O F G E M T O S I H Z
A I N T O Y Y O Y N M Z A H R C S F G Z
M U V O C R C W O I A E C T I A A D I A
I G Y U O S C B R L K R N Y F U P L L D
T N I L F X Z O B O O Z K T Y S U I W W
Y A G I O U V S T T C Y O L T T F W G M

1. Has pedals
2. Often stops
3. In your garage
4. People sleep in it
5. Pulled by horse
6. Used for tourists
7. Painted red
8. Carries goods
9. For the daily pinta
10. For road repairs
11. Two-wheeled, for two people
12. Often driven about town
13. Has three wheels
14. Light vehicle

1. B------
2. B--
3. C--
4. C------
5. C---
6. C----
7. F-- -E-----
8. L----
9. M---F----
10. S----R-----
11. T-----
12. T---
13. T--------
14. V--

30. ON THE ROAD

A DOUBLE PUZZLE
Solve the clues to find the list of words hidden in the puzzle. The answers are in alphabetical order.

Z	O	Q	C	W	Z	S	J	E	Q	J	J	Y	X	U
A	Q	B	Z	P	G	V	N	W	N	D	B	B	N	U
K	Q	L	F	B	W	K	J	Y	Y	U	R	T	E	G
O	T	T	M	Z	L	C	Z	K	O	F	D	S	L	Z
C	A	M	E	M	C	V	A	R	I	N	T	H	C	K
O	O	E	F	K	N	C	A	R	A	E	S	O	Y	N
A	L	D	T	P	T	A	E	N	A	C	T	S	C	C
C	F	N	Y	U	U	E	V	M	I	X	L	V	I	R
H	K	A	T	R	N	Y	R	A	Z	X	T	R	B	U
B	L	T	G	G	Z	O	R	K	R	S	A	V	X	H
G	I	F	I	Y	L	T	X	R	P	A	A	T	G	J
W	M	N	X	L	R	K	U	C	O	L	C	H	V	K
X	E	R	E	A	O	Z	R	R	B	L	V	F	R	H
I	K	R	C	E	L	C	Y	C	I	R	T	D	P	K
M	M	E	N	S	U	B	F	D	Q	F	S	W	Z	B

31. LOTS OF EMOTION

```
G N I M A E R D S J X H D M Q G E I J G
K J T O S W L G T E A E Y S G N S D S E
A G N I L L I R H T N Y T N M I N I H I
B Q G R U R Q V P O Z S I X R T O M O Y
Q C N Y O C N Q I F E D A G D C P P U A
H I I T O I D S E Y N L N T G A S U T F
O T L J N L S R O E Y I B T I C E L I E
T E E T O A V T R H H E W A R O R S N N
B H E G P E N T O G L H M Y T M N E G T
L T F M N S R G U S I S I O G I Y A V H
O A I T J A W A I S B N W H T D C Z L U
O P V D E V L R P O G G N I T I C X E S
D Y K H A D U E T U P Q W P R M V H E I
E R M Z C O R S S E N R E G A E R E G A
D E Q F D I E P G N I R R I T S D A M S
C I T R N Z L B X C I T A M A R D S W M
R F A G E I E V I T A R T S N O M E D N
C N S Y T I V I T I S N E S P H W K J K
```

ACTING
ARDOUR
CRYING
DEMONSTRATIVE
DRAMATIC
DREAMING
EAGERNESS
EMOTIVE
ENTHUSIASM
EXCITABLE

EXCITING
FEELING
FERVENT
FIERY
HEART-RENDING
HOT-BLOODED
IMPASSIONED
IMPULSE
LAUGHING
PATHETIC

POIGNANT
RESPONSE
SENSATIONAL
SENSITIVITY
SHOUTING
STIRRING
THRILLING
WARMTH
WHISPERING
ZEST

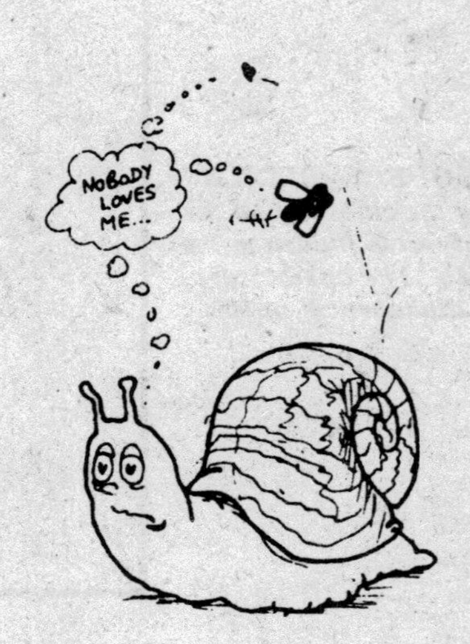

32. PUT OUT

E	A	O	W	E	U	F	A	T	O	H	T	H	S	E
X	I	D	V	O	T	H	Q	U	R	H	S	L	Q	E
N	I	V	I	P	I	A	S	C	R	O	E	L	V	O
U	I	Y	E	S	N	T	T	O	T	P	U	O	B	H
S	C	D	F	X	P	G	W	I	X	E	M	B	E	C
C	M	Z	W	K	T	O	A	E	R	E	S	Q	L	N
E	D	O	I	M	U	I	S	F	R	R	W	P	G	E
W	G	O	T	T	X	Q	N	S	F	J	I	H	U	U
S	W	J	U	H	O	F	Z	G	E	U	S	C	E	Q
B	L	H	H	S	E	S	T	T	U	S	N	T	I	V
E	O	C	P	P	E	R	T	C	P	I	S	S	E	A
J	M	T	F	X	T	D	M	I	H	J	S	X	D	B
E	O	E	H	O	F	Y	G	V	F	W	M	H	Z	V
C	F	R	H	E	A	I	N	E	O	L	Y	L	H	A
T	L	S	S	F	R	X	E	W	B	W	E	D	D	A

BOTHER
DISPOSSESS
DOUSE
EJECT
EVICT
EXPEL
EXTINGUISH
IRRITATE
OUST
QUENCH
REMOVE
SMOTHER
SNUFF
STIFLE
THROW OUT
TROUBLE
UPSET
VEX

33. PUT ON

O	M	D	R	K	H	M	L	D	G	E
I	A	E	O	R	E	Y	L	I	R	X
D	M	N	S	Z	A	Q	V	I	V	X
L	Y	I	V	I	S	E	T	L	C	R
D	F	S	T	V	M	T	W	L	Q	P
N	A	Y	S	A	A	U	O	A	P	B
E	K	H	V	V	T	T	L	F	O	D
T	E	E	A	J	H	E	N	A	Y	S
E	S	Y	Z	E	Z	N	P	C	T	T
R	Z	F	O	B	R	A	G	U	Y	E
P	X	M	W	H	V	Z	N	O	D	W

ATTIRE
CLOTHE
DON
FAKE
GARB
IMITATE
PRETEND
SIMULATE
WEAR

34. DEMONSTRATION

ASSEMBLY
ATTESTATION
CAUCUS
CERTIFICATION
CONVENTION
CONVOCATION
DESCRIPTION
DISPLAY
EVIDENCE
EXHIBIT
EXPLANATION
EXPOSITION
ILLUSTRATION
JUSTIFICATION
MASS
MEETING
MOBILIZATION
PERFORMANCE
PRESENTATION
PROOF
PROTEST
RALLY
REUNION
SHOW
SUBSTANTIATION
SUPPORT
TESTIMONY
VALIDATION
VERIFICATION
VINDICATION

```
P N S V N O I T N E V N O C N B H S V E
R O N G R Y T Y N O Y A S O T H V I U C
O I N O T G N K B O I N I U M D N S P N
T N O K I U M O Y B I T O N C D Q H R E
E U I P S T G N I X A T A M I U Q O O D
S E T E N O A J O T N K P C I H A W O I
T R A R L O D Z S I A O A I I T W C F V
C A C F N U I E I Y T T I G R F S D L E
O S I O C D T T L L I A N T B C I E C Y
N S F R S T I L I O I G R E A I S R T A
V E I M A U A S N S N B O T S D R E E T
O M T A O R P E P I O K O S S E I H D V
C B S N B A X P T L E P S M W U R L I J
A L U C V H Y E O N A A X B K G L P A T
T Y J E I U E S H R M Y N E G E X L A V
I S N B P M Y N O I T A N A L P X E I P
O I I K D N O I T A C I F I T R E C N M
N T N O I T A I T N A T S B U S S B V P
```

35. TREASURE

ADORE
ANGEL
APPRECIATE
BELOVED
BIJOU
CAPITAL
CHERISH
DARLING
DEAR
DIAMOND
DOTE ON
ESTEEM
FORTUNE
GEM
GOLD MINE
HOARD
HOLD DEAR
IDOL
JEWEL
LOVE
MINT
NEST EGG
NONPAREIL
PARAGON
PEARL
PRECIOUS
PRIZE
PROTECT
RARITY
REGARD
RESOURCES
REVERE
RICHES
SAVINGS
TREASURE-HOUSE
TREASURE-TROVE
TREASURY
VALUE
VENERATE
WEALTH

```
T R E U H D E G N F P X G T
D I E T O B G N C U R Y R R
O E T W A Z B D U I A A K E
T U A G R I E C C T E H V A
E L R G D V C H D D R E Q S
O A E K O M E E D L R O C U
N V N L M S E L R E O R F R
S V E E X Z O G V P C D Z E
V B V R D H G E O V P F I H
J R I O A V R X E A B A L O
T C E T O R P S Q C N S E U
U R F G L W T Y H E O J L S
N A P Z A E W E D R N B M E
Y E G A E R R S O O P M I Y
T D S M R I D Y V D A G G X
X R S T S A R P S A R V Y A
S M E H E U G T L B E C T N
O S V A S G N O I V I T I G
Q B C A S T G J N K L U R E
K D E A S U O I C E R P A L
Q R I X P U R P V B B J R F
T I S A S I E E Y Q P E T P
V X A R M A T R T M U W N G
S N V Y R O A A O R Y E I X
E E I L M C N K L A O L M T
V Z N E N I M D L O G V J B
O I G H T L A E W X Y P E Z
L R S T C S E C R U O S E R
F P X G N I L R A D Z R R B
```

36. DIGEST

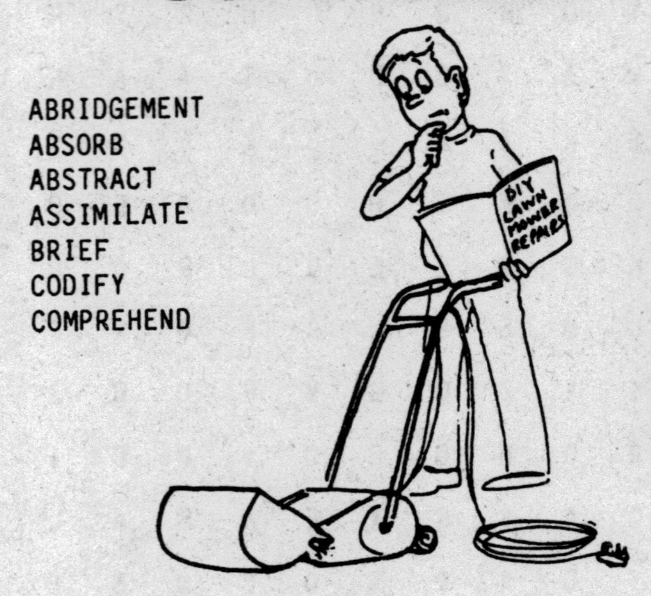

ABRIDGEMENT
ABSORB
ABSTRACT
ASSIMILATE
BRIEF
CODIFY
COMPREHEND
COMPRESS
CONDENSATION
CONDENSE
DRAFT
FATHOM
GRASP
IMBIBE
INCORPORATE
KNOW
MASTER
METHODIZE
OUTLINE
PRECIS
RECAPITULATION
SHORTEN
SHORTENING
SUMMARIZE
SYLLABUS
SYSTEMATIZE
TAKE IN
THINK OVER
UNDERSTAND

S Q N B J H E T A R O P R O C N I S U L

W S E O R U X T B S S Z T R A L S U W Y

N Q Y Z I O T O Y F I D O C B E C M B M

S E U L I T S F Q K C F P I R Q O G R N

D A T N L R A B T R E V G P I I N D I R

G M B R D A A L A Q R G M N D M D V E C

N Y O S O E B M U N P O A G G B E T F O

I E Q H T H R U M T C P T R E I N Q R N

N E Z E T R S S S U I P F A M B S C E D

E W Z I T A A N T C S P P S E E A O V E

T Q O I T A F C K A T N A P N R T M O N

R Z P U D A L T T A N Z J C T V I P K S

O Z A I T O M I K C M D H D E Y O R N E

H G G Q K L H E M Z G E T G Z R N E I B

S A A N A P I T T I V F H F B O H H H H

I F O M N N E N E S S L I S A B E E T K

E W R E T S A M E M Y S S K M R V N R S

D L E I F H T W A Y O S A W F F D D M Y

1. Full of figures
2. Shows where your friend lives
3. Published every year
4. Full of maps
5. Record of your life
6. History of another person
7. To record daily events
8. Where to find meanings
9. Full of man's knowledge
10. Handy compendium
11. For memoranda
12. Fictitious prose tale
13. For formal
14. Tale of chivalry

1. A------
2. A------
3. A-----
4. A----
5. A------------
6. B--------
7. D----
8. D---------
9. E------------
10. M-----
11. N-------
12. N----
13. R-----
14. R------

37. BOOKS

A DOUBLE PUZZLE
Solve the clues to find the list of words hidden in the puzzle. The answers are in alphabetical order.

C	Q	R	R	Z	M	Q	Q	Q	Q	J	C	I	S	D
Y	L	P	C	E	B	A	G	B	S	P	L	W	S	Y
A	A	N	N	R	C	I	Y	U	G	Q	P	C	E	P
U	U	A	O	O	B	O	O	G	E	R	D	N	R	A
T	N	I	T	T	V	J	R	G	C	Q	C	Y	D	H
O	N	I	N	L	E	E	P	D	R	Y	R	L	D	D
B	A	I	U	Y	A	B	L	J	C	A	C	I	A	Y
I	M	L	O	T	R	S	O	L	N	L	P	J	I	X
O	J	W	C	I	P	A	O	O	C	A	R	H	X	Q
G	A	S	C	N	F	P	I	K	K	U	O	H	Y	F
R	L	M	A	O	A	T	Y	D	E	N	M	L	G	N
A	K	D	S	E	C	F	R	I	S	A	A	C	Y	N
P	W	I	D	I	Q	M	R	H	P	M	N	P	N	J
H	B	I	D	L	Y	R	W	T	H	J	C	U	U	U
Y	A	E	F	N	Q	K	D	R	N	A	E	G	J	O

C	E	L	A	H	P	G	V	P	E	E	R	N	H
A	X	W	B	U	Z	L	R	N	L	I	O	W	H
R	A	R	N	O	I	O	T	B	A	Z	L	G	O
V	A	I	X	C	P	I	O	F	L	J	Y	M	N
Y	S	D	E	E	R	N	M	I	A	L	C	N	E
H	L	N	R	E	H	T	E	G	O	T	L	A	S
J	C	D	L	E	M	O	S	E	L	O	H	W	T
E	U	Y	E	T	P	H	W	O	S	A	E	S	G
Z	Y	P	H	D	E	P	E	K	C	D	V	E	E
E	Q	Q	N	A	I	S	Q	C	X	E	K	G	T
Z	V	T	R	O	I	C	U	Y	Y	M	L	N	Y
I	P	T	H	C	R	R	E	L	I	A	S	E	L
N	Y	Y	E	G	A	M	E	D	N	N	O	V	S
A	R	R	Y	T	I	T	A	O	I	D	U	A	S
G	P	E	E	L	U	R	I	L	E	L	N	J	E
R	M	L	A	L	G	T	H	I	I	G	D	U	L
O	Y	I	O	S	N	N	U	T	T	Z	A	S	T
I	T	S	M	E	O	Y	I	D	R	T	E	T	L
U	B	C	V	P	G	N	L	D	N	I	M	I	U
A	D	N	E	Y	A	B	A	R	E	E	B	C	A
D	O	N	I	R	L	R	M	B	E	E	M	E	F
C	M	G	E	N	R	E	T	E	L	T	C	A	H
G	I	M	E	M	T	O	T	I	M	E	T	X	Q
O	Y	M	E	H	E	E	C	E	A	P	K	U	E
O	T	W	I	K	K	E	G	B	L	L	Z	C	O
D	T	C	E	F	R	E	P	R	H	P	I	Y	Z
U	A	D	T	L	A	R	O	M	I	B	M	T	J
L	A	N	O	I	T	A	R	V	Y	T	V	O	Y
T	S	U	J	D	A	D	Z	E	O	O	Y	S	C

ABSOLUTELY
ACCURATELY
ADJUST
ALTOGETHER
AMEND
AVENGE
BIRTHRIGHT
CLAIM
COMPLETELY
CONVENTIONAL
CORRECT
DECIDEDLY
DEMAND
EMEND
ENTIRELY
ETHICAL
EXCEEDINGLY
FAIR
FAULTLESSLY
GOOD
HALE
HEARTY
HONEST
IMPARTIALITY
INTEGRITY
JUSTICE
LICENCE
MORAL
NOBLE
NORMALIZE
ORGANIZE
PERFECT
PRECISE
PROPER
PUNISH
RATIONAL
REASONABLE
SOUND
UTTERLY
WHOLESOME

ALLEVIATE
BREAK UP
CRUMBLE
DECREASE
DELIVER
DIFFUSE
DILUTE
DIMINISH
DISSOLVE
EXTRICATE
FREE
LESSEN
LET GO
LIBERATE
LIQUEFY
LOOSE
MACERATE
MELT
MITIGATE
MODERATE
REDUCE
RELAX
RELEASE
SET FREE
SHACKLE
SOFTEN
UNBIND
UNCLASP
UNDO
UNFASTEN
UNLOOSE
UNTETHER
WEAKEN

39. LOOSEN

H H H A G E T S E F E U G F Q O H B U B
W Q P H C I H E F T N O N F T X V Z N G
E D D C M A R G A F X H E C X L C K T O
A P J K C F P C A P E N S T L Q E F E D
K F J K T F I S N O T C L I A A T M T N
E A L E Q R T X X T O V U I N R S L H U
N E S D T E E L D D Y R J D Q I E P E J
E F M X N S V K E Y F V E I E U M D R C
M S E K C O L A T K J L D L T R E I O F
A A U T C P O E A Q I W E E A Y J F D M
L C C F U R S C R V F B C S G X H G Y E
L D R E F L S M E G I R R S I I Z N S S
E N P U R I I R B H W E E E T F G A N O
V I O H M A D D I F Z A A N I N E Y E O
I B G P B B T F L M F K S F M L I G T L
A N T B Y H L E W T U U E F E H T D F U
T U E T F S R E J Z Z P S R Z G F K O K
E T L E S O O L N U X S E E R F I R S F

40. TALKING AGAIN

ADDRESS
APPRISE
ARTICULATE
BETRAY
BROADCAST
CHAT
CONFERENCE
CONSULT
CONVERSE
DECLAMATION
DISCOURSE
DISCUSS
DIVULGE
EULOGY
EXPRESSION
GOSSIP
HEARSAY
INFORM
INSINUATIONS
NATTER
NEWS
NONSENSE
PRATTLE
PRONOUNCE
RECITATION
REVEAL
SERMON
SPEAK
SPEECH
TIDINGS
TIRADE
UTTER
VERBALIZE
VOICE

K R R K J O D P A E T A L U C I T R A E
P Y E Z I Y G C Z Q F A T A W S C K S U
U P G T T E S R E V N O C S H A W I J N
N P R O T P D S I A M S Y C B F R E P O
S O F O L U R A R N L K E P L P I K N M
S F I L N U B U R T F E Y A P N J A D R
U B V S O O E R V I P O E A S Q D E J E
C F P C S Y U A O S T V R I C D C P E S
S E S E N E P N B A E C N M R L D S C H
I I L K C A R R C R D U O E A D B P N E
D E Y T R I E P A E A C S M I W E I E A
M S S L E B O H X T B S A V S P T S R R
H N G U T A M V I E T T U S G B R S E S
A E N S T Q A O N Z I L K X T V A O F A
G S I N A M N M K O G W E Z J X Y G N Y
T N D O N S X V N E Z I L A B R E V O P
Y O I C N O I T A T I C E R T A H C C R
I N T D X J G O X C R B A K C G P V Y Y

HARDER PUZZLE SECTION

41. THAT'S LIFE

WELCOME TO THE HARDER PUZZLE SECTION
The following puzzles are more difficult. Usually there are no lists to guide you. See how many words you can find and then check your list with ours at the back of the book. With some puzzles we have given you either a partial list or a clue as to how many words are to be found. We think you'll find these fun to do.

GO THROUGH this square and, using your SKILL, you will find thirty-two answers. They include INCIDENT, SUFFERING, TRAINING. What an ADVENTURE.

W E E R U T N E V D A S D X U T T A B T

E B J G N I R E F F U S I O G R E D N U

C P A U K T R E Z G G M S E D O S I P E

N E B C B T R E N I K R C L P R U B K E

E R W T K U R I A N B V E I B W N F H P

R C F O D G N A O L I K R R P U D Y K A

R E S N R E R W I C I T N E W N E Z C H

U I E S P L L O I N N Z G N P O R C E G

C V N P S E D S U E I N E C W I S H V U

C E A O D I S L M N I N U O D T T G E O

O H L G I I T E I D D W G U N C A E N R

L Y E L T T V U E N L Y Z N E E N R T H

A T O U I L A E A R E L Q T H J D U T T

E U D M O K R C S T S S G E E B I S P O

D E H V E B S G U A I L S R R U N O P G

R T N E D I C N I D A O R J P S G P M C

O I E C I T C A R P E V N I P T E X T L

O X E S T N E M Y O J N E N A L E E F Q

42. FINISH

What a BREAK. You see the BOUNDARY. Within it are thirty hidden answers. END the search when you have found them - words like URBANITY and ACHIEVE.

```
I C J Z E B I R C X A G Z R E B F Y P K
N E E S S H E S O H N O U J N X T M R Z
F S T E O W S M M E S A E C S I P T Z J
K S Y N L F V I P M H Q I E V O C I Y C
U A R D C O A K L T N N G A E Y D Q R H
B T A E R Q U D E O Y Q U N W O R C X E
E I D P F A F A T J P S P T S U A H X E
C O N Q O I I F I E R I A F R I O V A S
O N U N G I N N O W G E H T A E D F C V
U J O E L S S E N E T E X I G M I Z X Y
R M B P V B W E M G C E N R W N W E S H
T T N E M E U O N E D N A T A I H Q E I
L K P I T A I I P M N H A L I U N T W Y
I O N F A E D H R O C T I G Z L E D B N
N Q Q R A E B B C S R Z H M E L I R U D
E Q B D E N Z G I A E D C K P L E T I P
S I G R E P Z D A P B K M E C A E I Y Y
S V B Y T I N A B R U R D X K K R Q P B
```

43. DEAL

Behave yourself as you look for ACCOMMODATION and NEGOTIATE a PACT. We will DISTRIBUTE good wishes if you can MANAGE to find all the words hidden in this puzzle list.

A------------
A--
B-----
B----
B-----
B----
C------
C------

C---
D-----
D------
D-------
D----------
D---------
E------
E-----
F-------

H-----
H---O--
I-------
I----
L--
M-----
M------
N---------
N-----

P---
P--------
Q-------
R----
T----
T------
T-------
T----
U------------

N M R E N V E I K X R T D L I B H O M Z
S E J F P E M U S E R E D D S I B R M E
N X G S E O E D E A D C A T C U D N O C
Z I G O V R C R F N P A G C T O L A E I
Q O J G T O U F G A T H R S T L N S Q S
A E P E M I I S T E Y E E T G O R E Q S
W B L P E C A R A Z D T N N I E K B U U
E O O G X T O T I E U T I T P P H C A E
X R T V G N A N E B M D A S E D V N N G
T H W S I A O N I H N D I T H E A T T A
E C D Z E I H R I A O D S P C L A D I N
N N E F T B T N T M X M S A P I S M T A
T U C C I S U S M K E X P C R V L Z Y M
T B N E I M R O M H A S H T Q E S F T D
E U H D B E C Q C T C A S N A R T R N D
F Q X E D C V T S Q T A K I L Q E R K I
T T R N A T A T U O D N A H D A W E A P
S V U P O B I H G M Y R V F T O O W P B

44. FIGHT

ARGUE if you must. It is not a COMPETITION, but if you wish to MATCH your opponents, you must ATTEMPT to find these thirty-four answers. Just make an EFFORT!

V X H L Z C B K Q R G T A B M O C T W T

L U T A D O O U D R A B M O B O C O L N

E R H U P E A M Z Q V P V X U E Z U G T

U V E D Y R N P P U E A S X Z C A I I R

D F S V R P J G S E L L O E G S A W T O

T D N E T N O C A N T N W T S P Z E S F

S P L Y E X J S T G S I O A M O T E E F

I R O F I N A S W K E K T A R A P S T E

S O W E G C C M I Z Q M C I D B M P N V

E T J D A U A R C Y S C E I O P E E O V

R E R R F T M O X Q K G S N L N T D C V

R S F F C I N J L Z W P W P T J T N V E

E T L H S F Y J R P U S R A U B A B L M

P E Y H L W S I R T A J E F R A T G O W

U N O I T A C R E T L A S K N G N K G X

L I C S B R A W R Y K J T D U A U I P K

S T L Z X K M P Z V A C L L R W C E D O

E P N O I T N E T N O C E W E L T T A B

1. MUSCLE

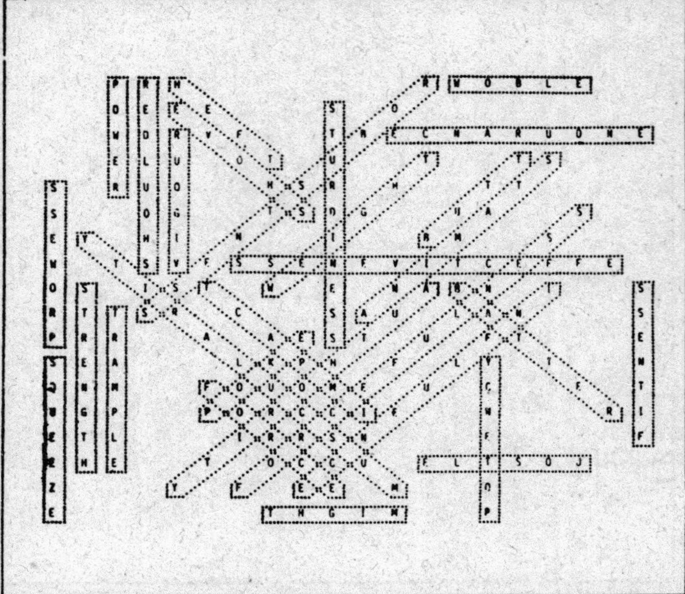

2. DEVOUT

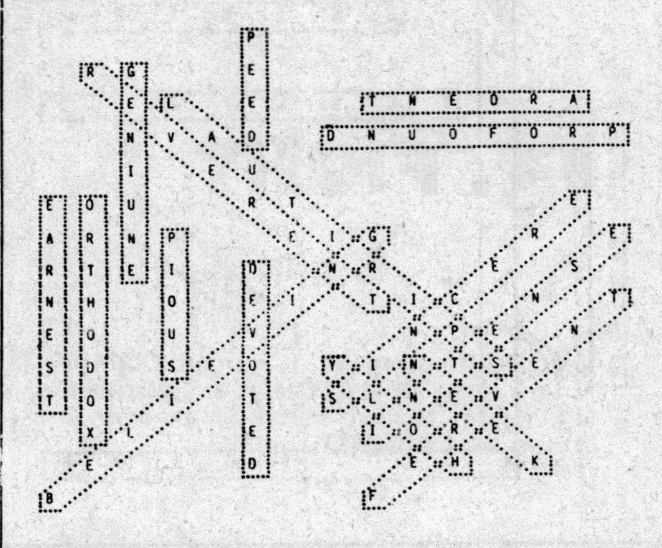

3. WORLDLY

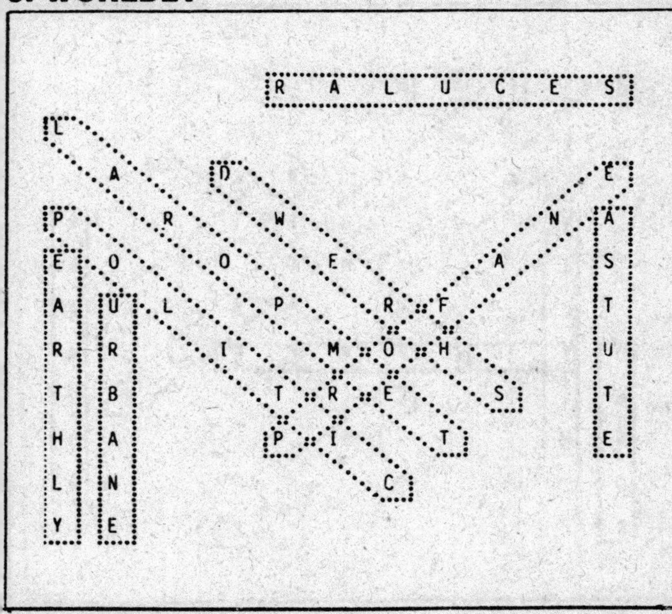

4. SECRET

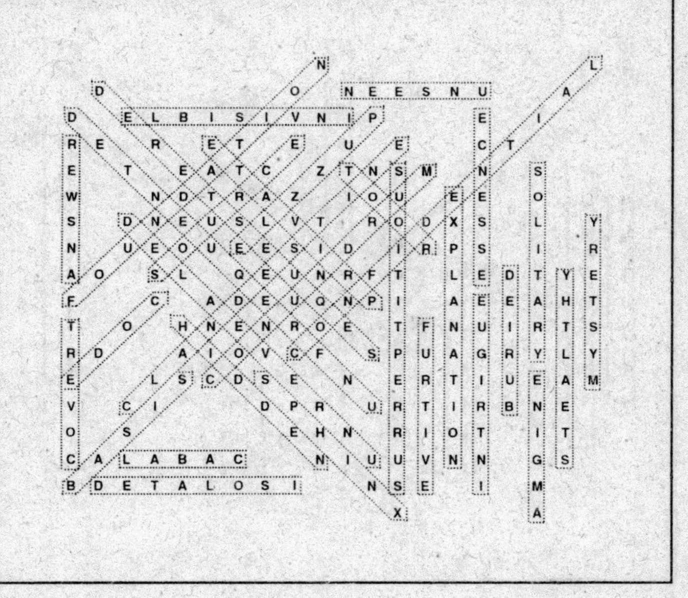

5. CAREFUL

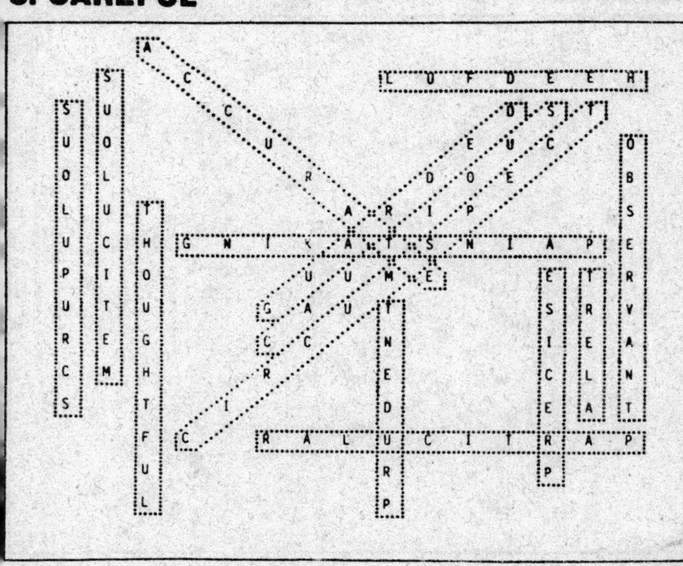

6. CARELESS

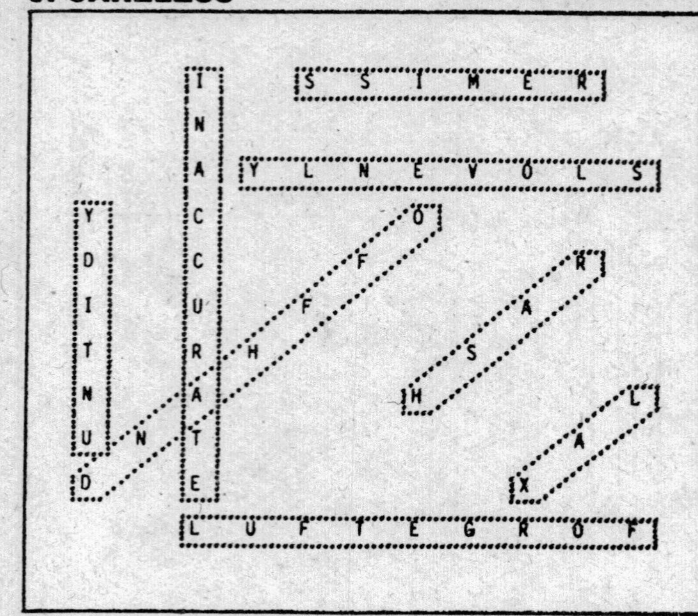

7. SCORE

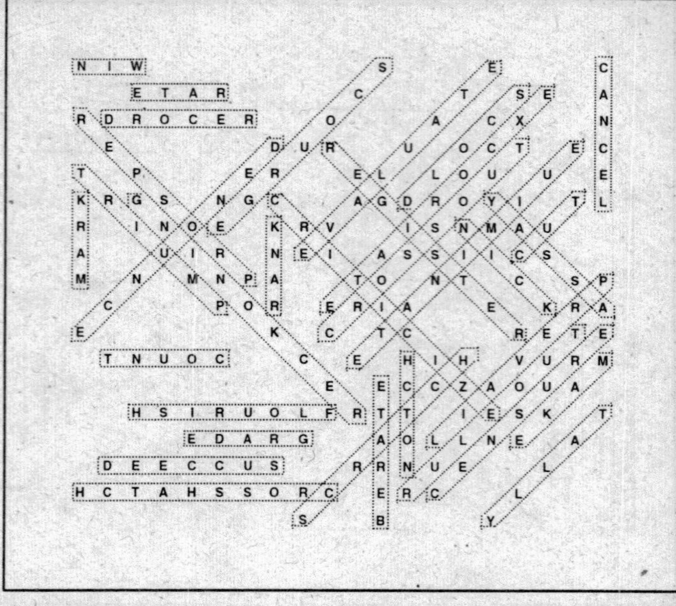

8. SAVE

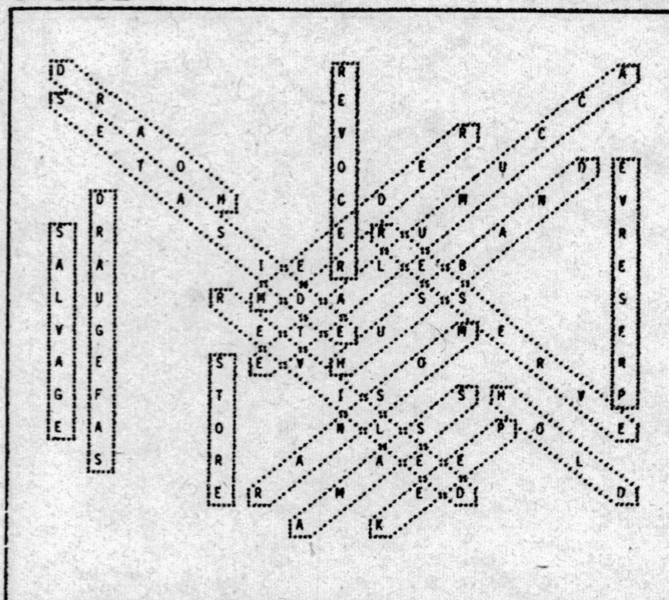

9. SACRIFICE

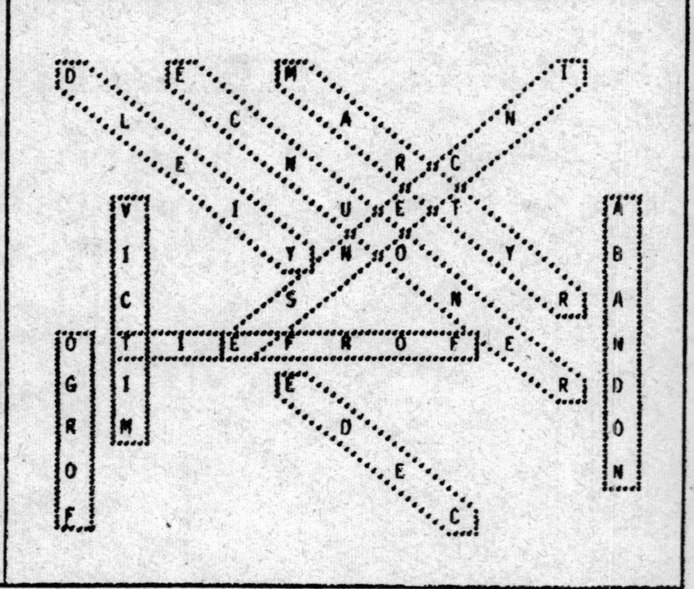

10. JOKE

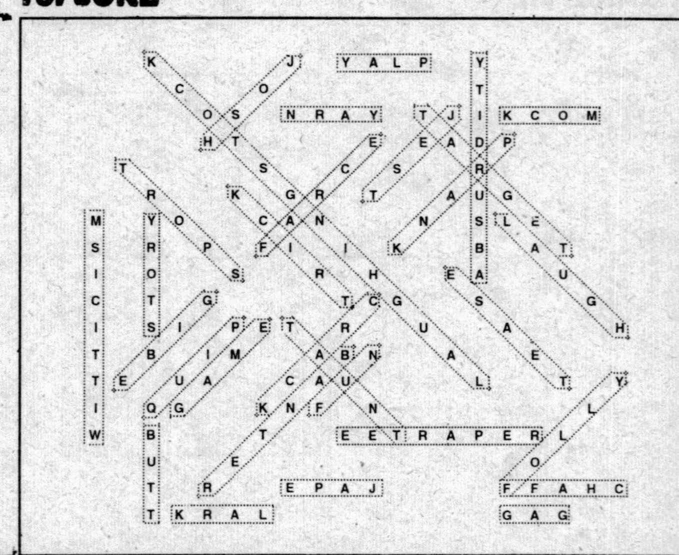

11. TURN OUT

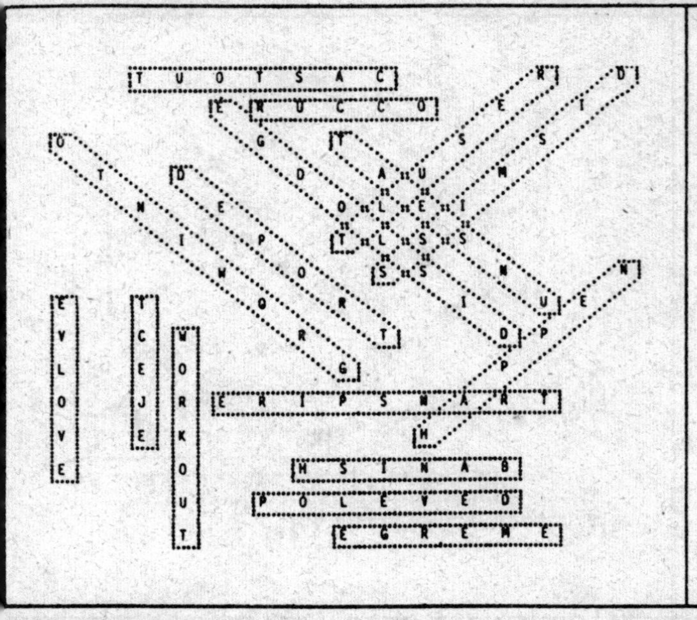

12. TURN OVER

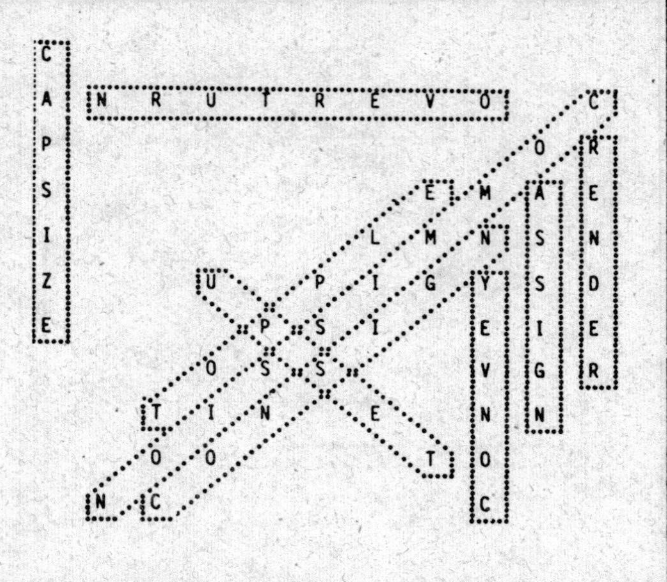

13. NEGLECT

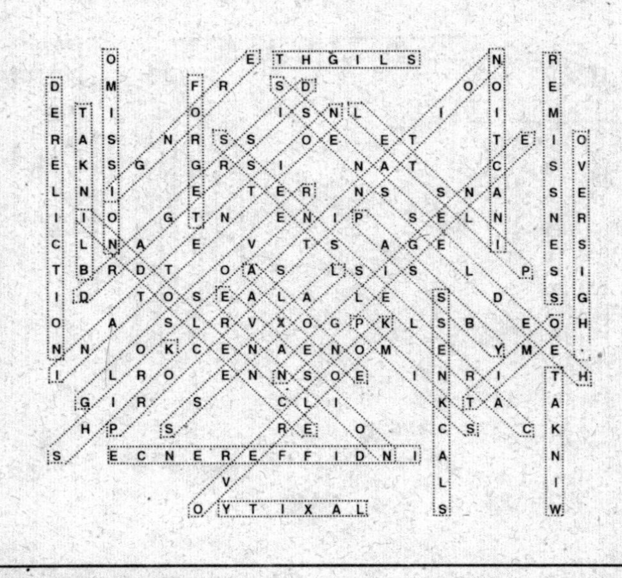

15. PURSUE

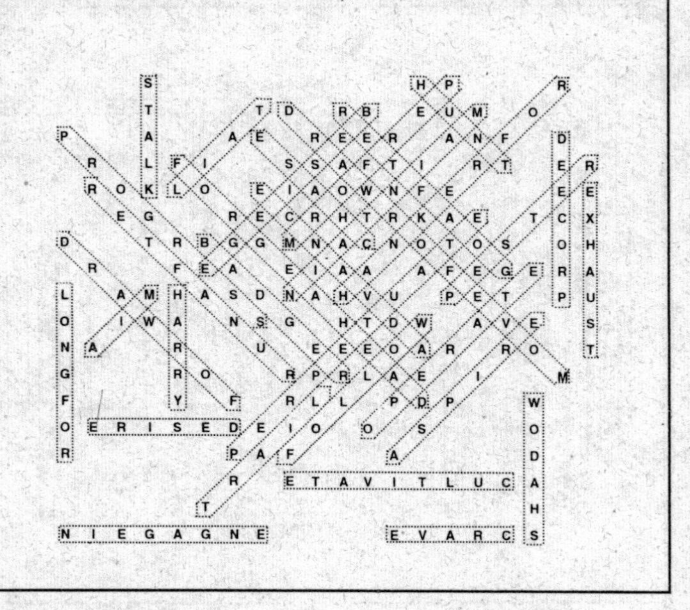

14. SLOWCOACH

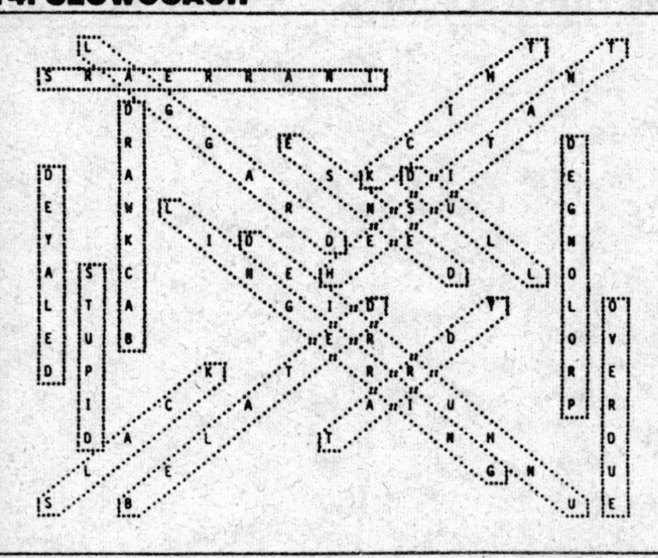

BACKWARD
BELATED
DELAYED
DENSE
DULL
HESITANT
IN ARREARS
LAGGARD
LINGERING
OVERDUE
PROLONGED
SLACK
STUPID
TARDY
THICK
UNHURRIED

16. FAST

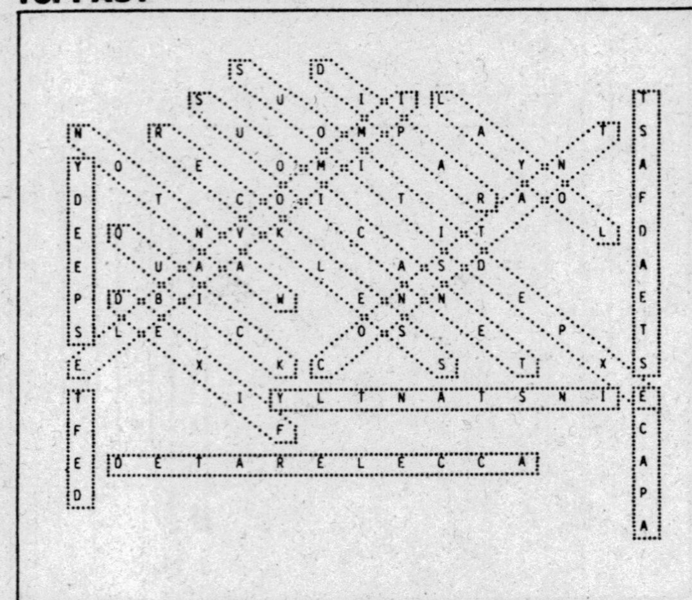

17. SLOW

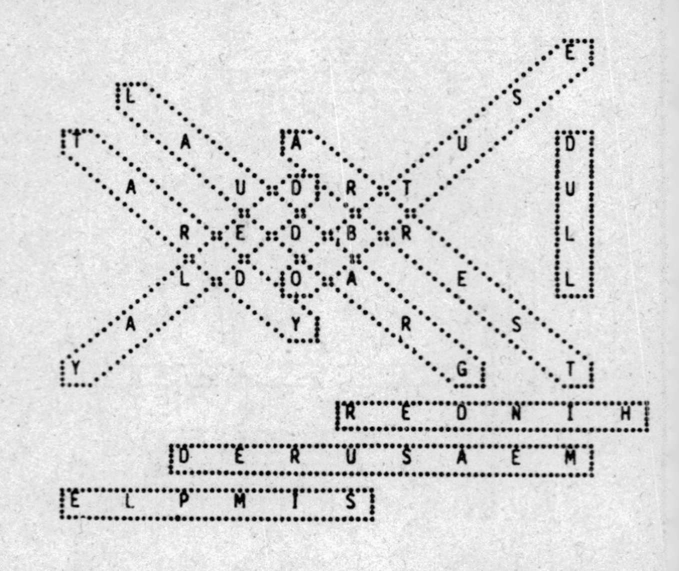

18. REASON

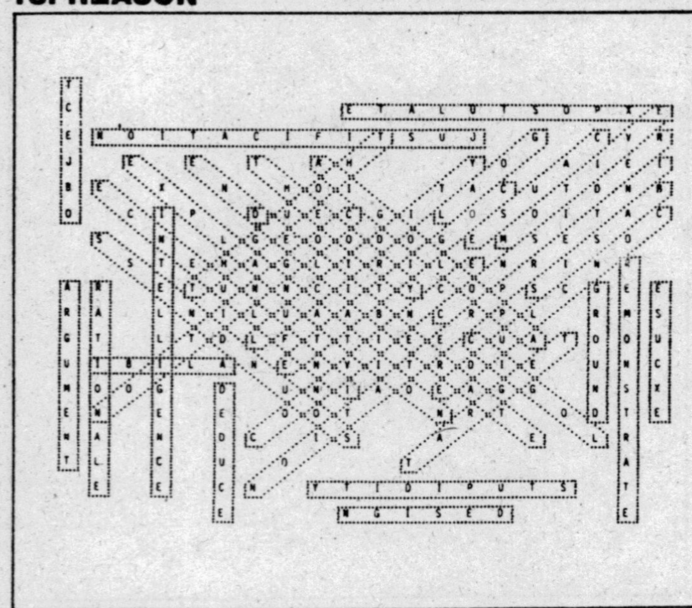

20. RIGHT

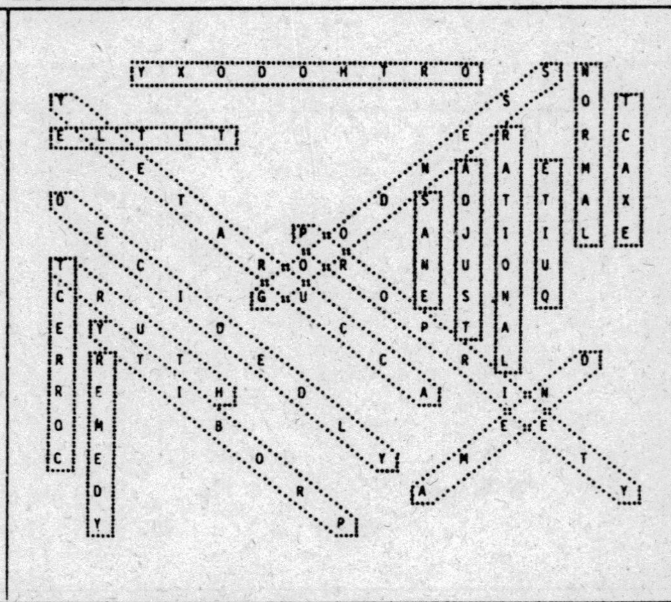

21. WRONG

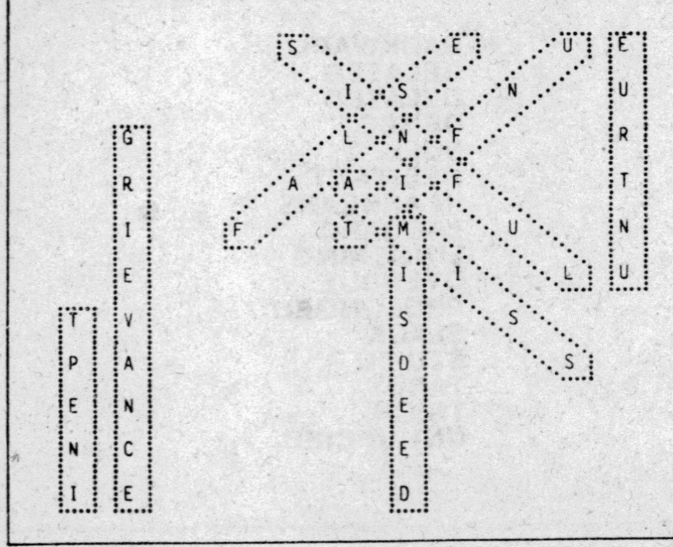

22. QUITE PLEASING

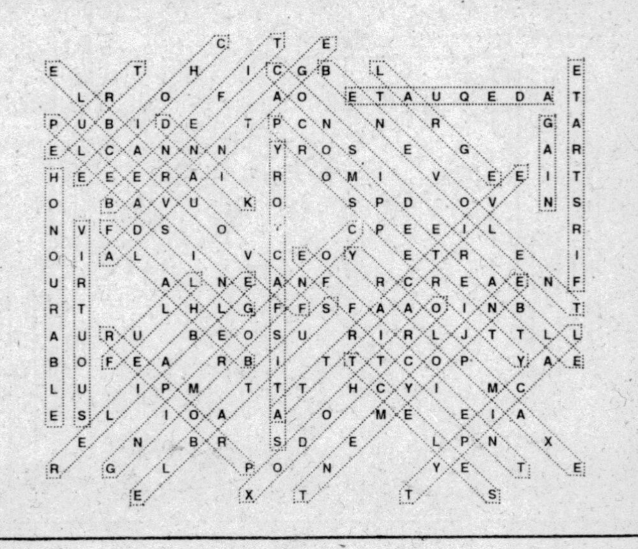

24. FIRM

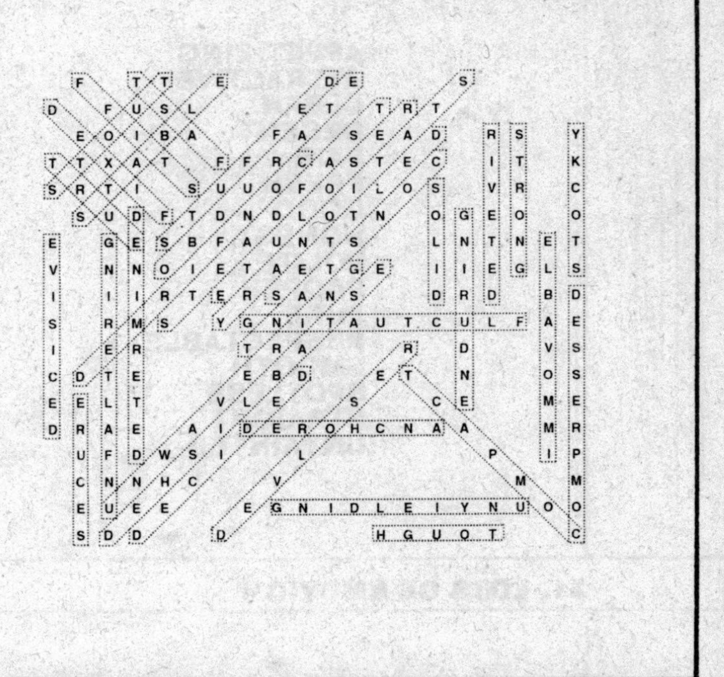

28. PART

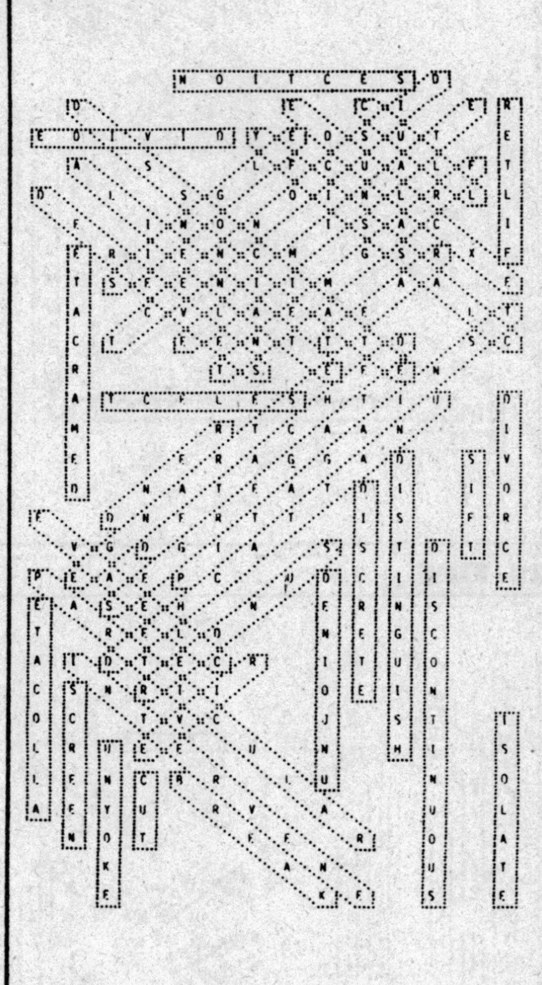

19. STIFF

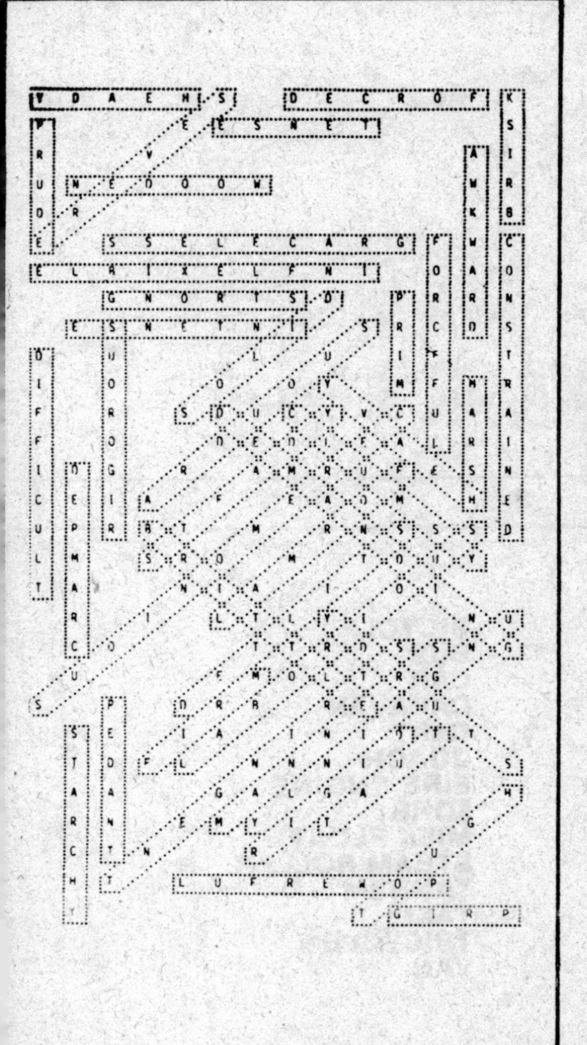

25. JOINT

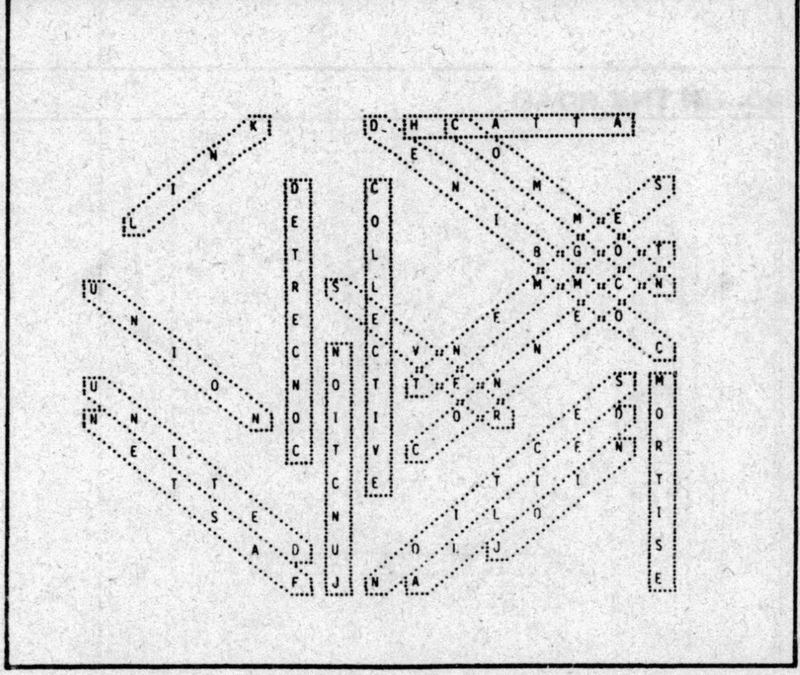

23. PERFECT

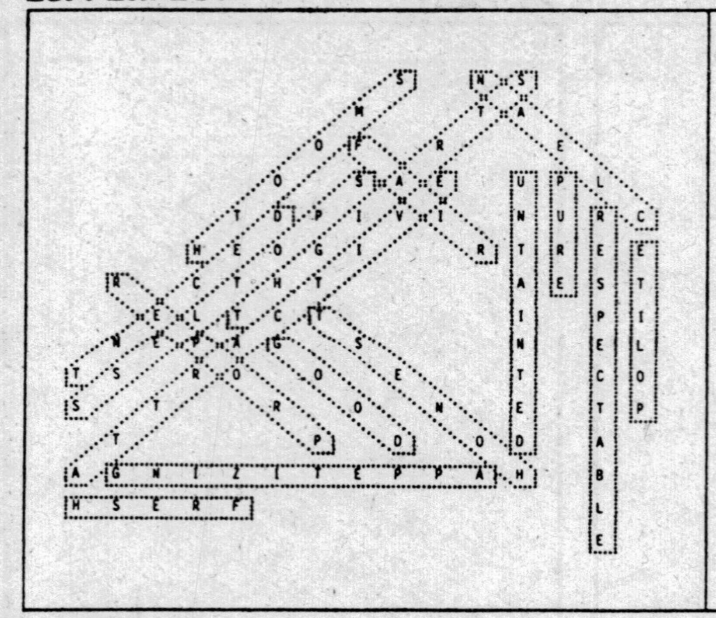

APPETIZING
ATTRACTIVE
CLEAN
DECENT
FAIR
FRESH
GOOD
HONEST
POLITE
PROPER
PURE
RESPECTABLE
SMOOTH
SPOTLESS
STRAIGHT
UNTAINTED

29. FIRE

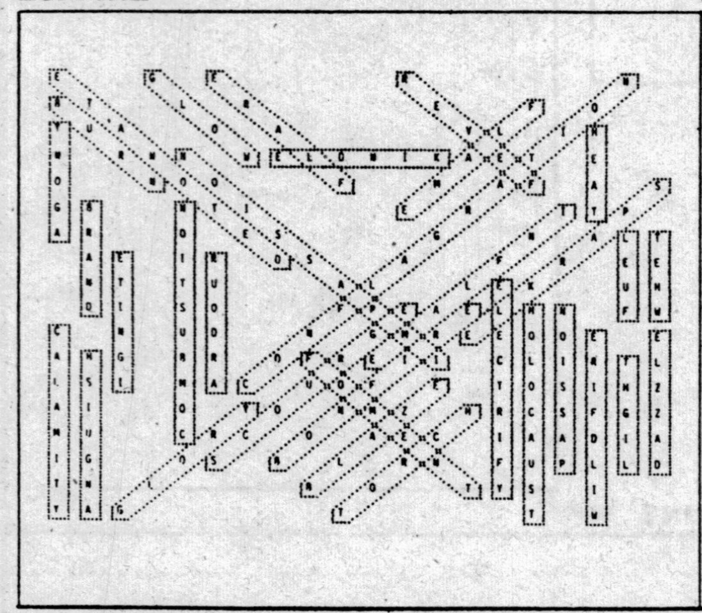

31. LOTS OF EMOTION

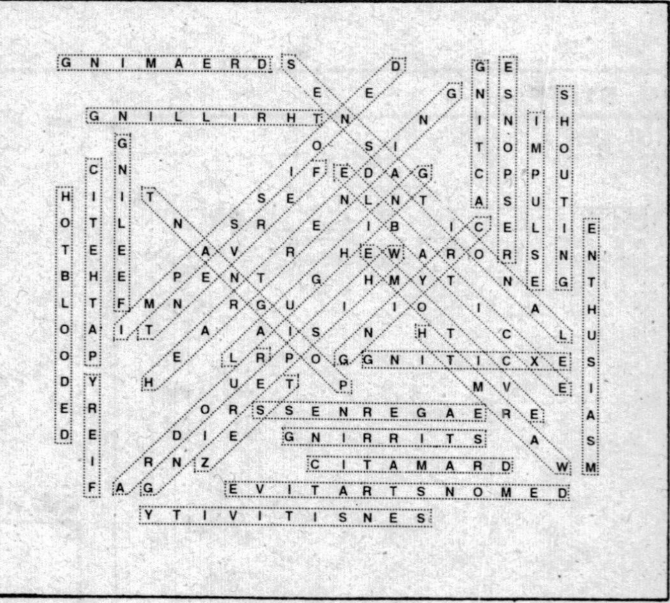

30. ON THE ROAD

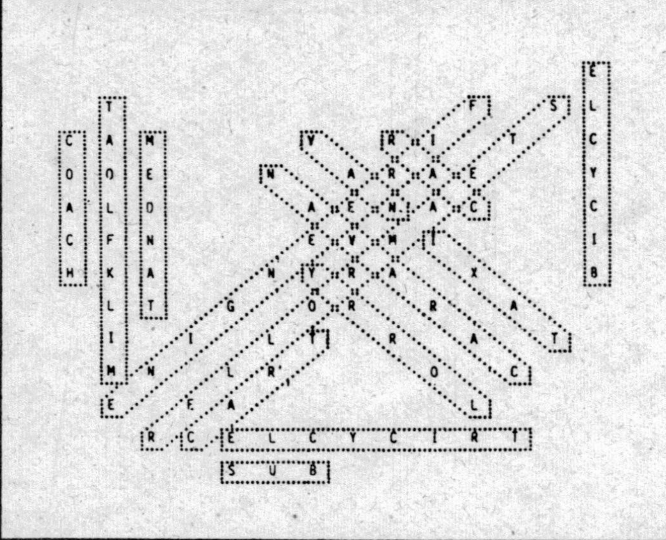

BICYCLE
BUS
CAR
CARAVAN
CART
COACH
FIRE ENGINE
LORRY
MILK FLOAT
STEAM ROLLER
TANDEM
TAXI
TRICYCLE
VAN

26. SEPARATE

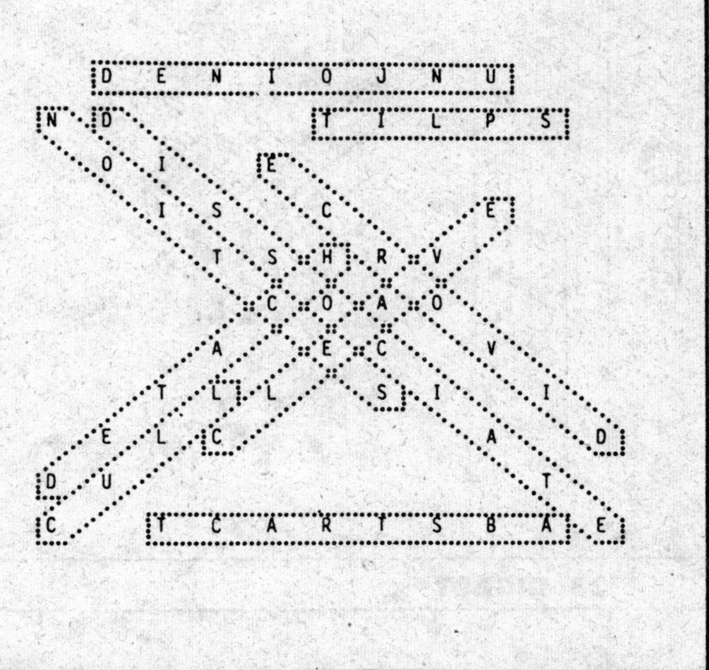

38. RIGHT

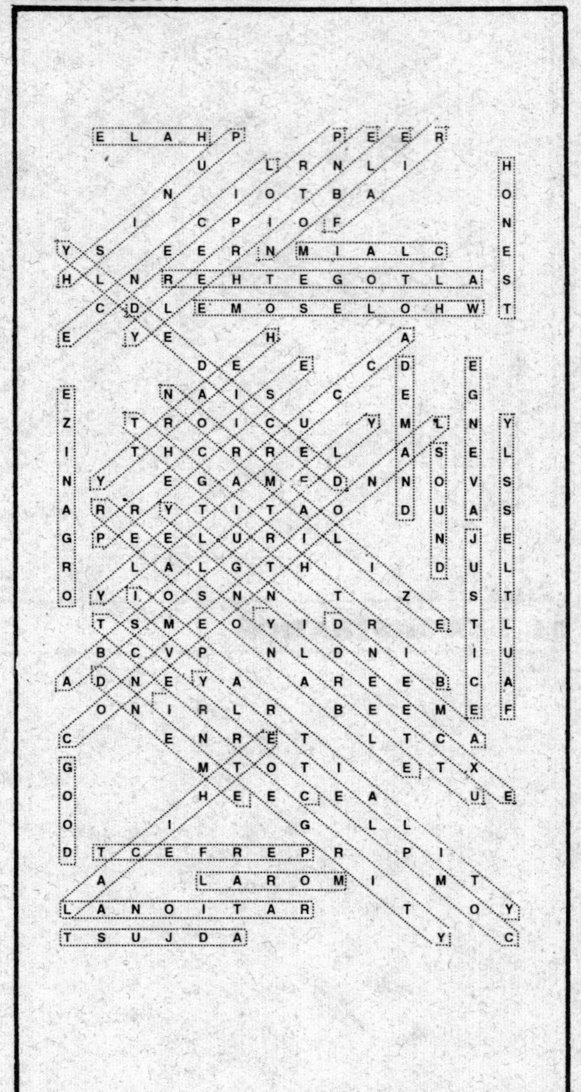

35. TREASURE

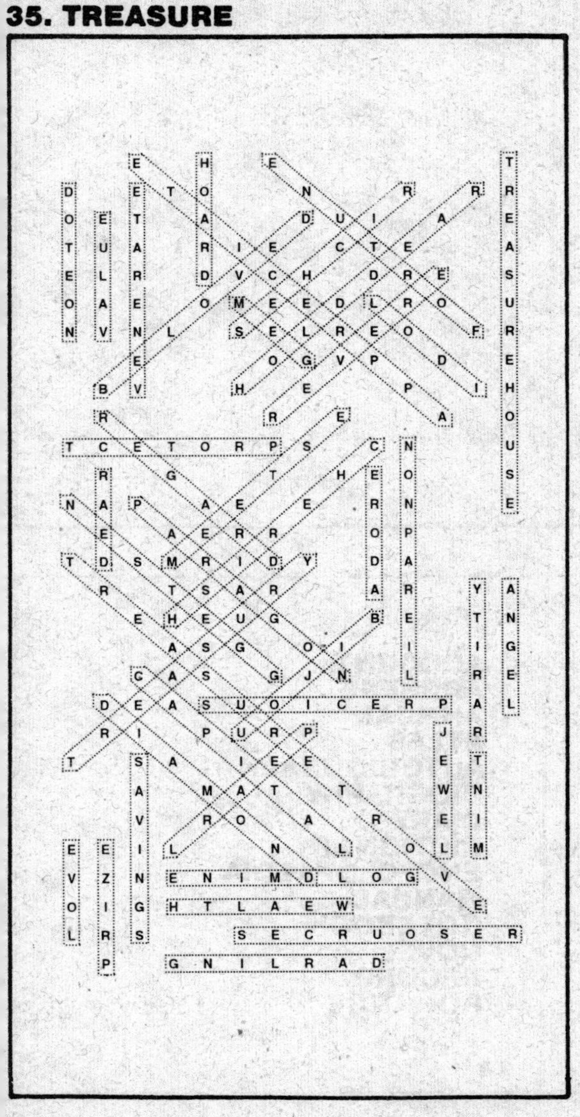

27. GLORY

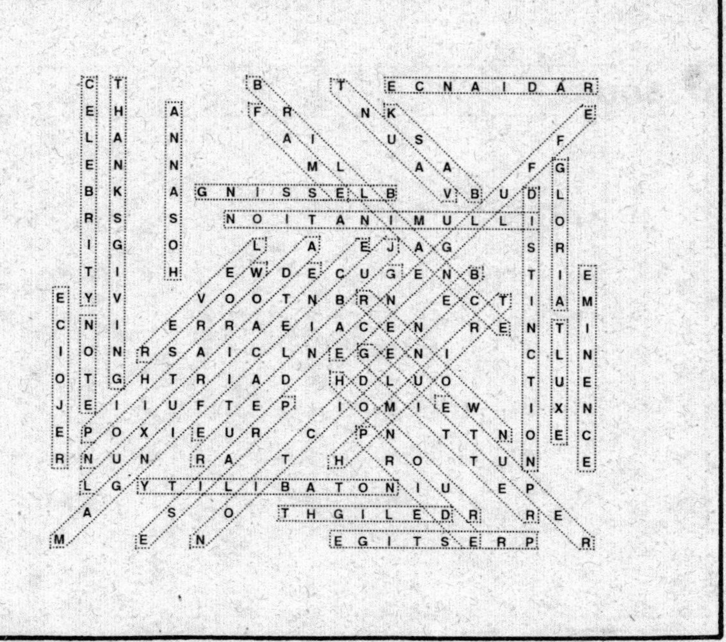

32. PUT OUT

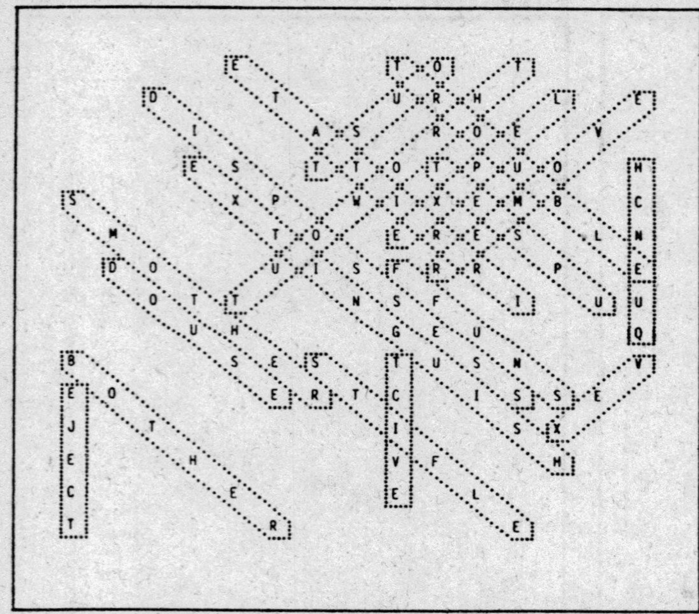

33. PUT ON

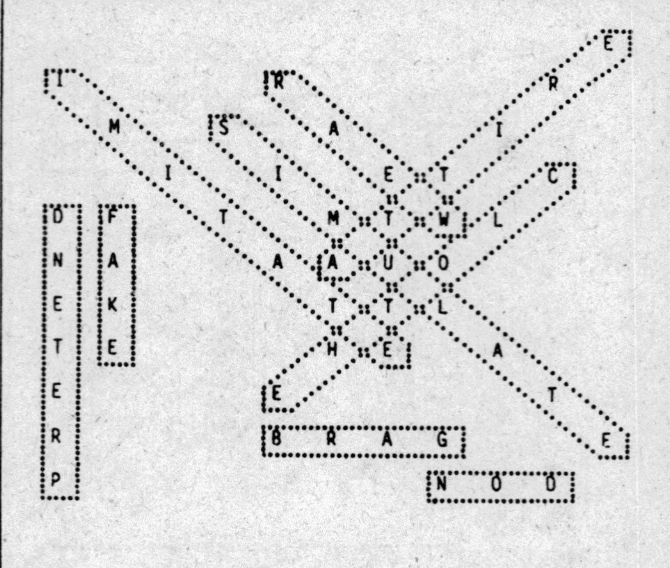

34. DEMONSTRATION

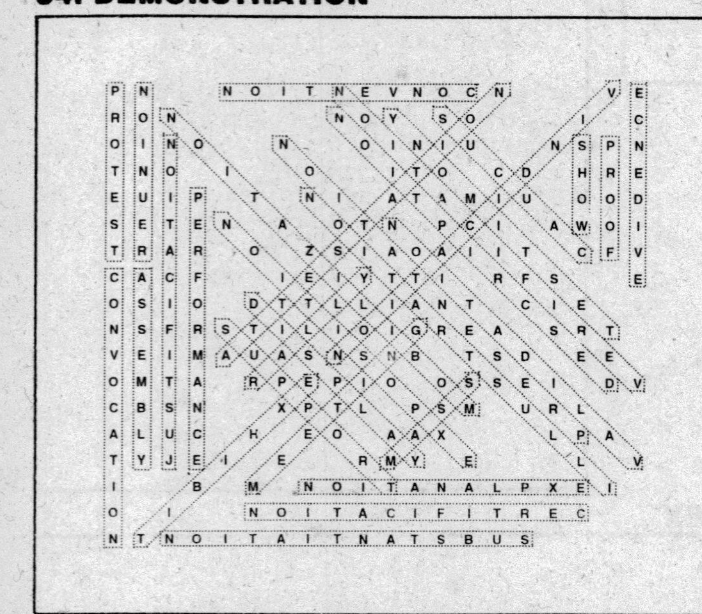

36. DIGEST

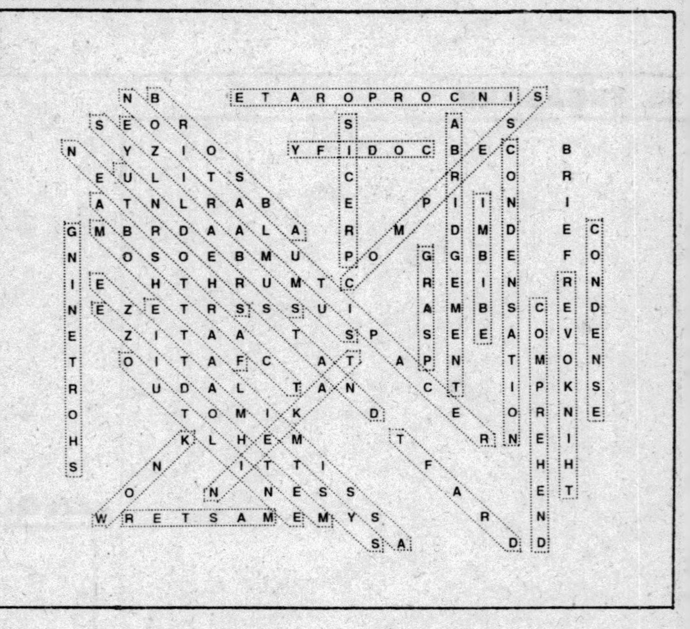

37. BOOKS

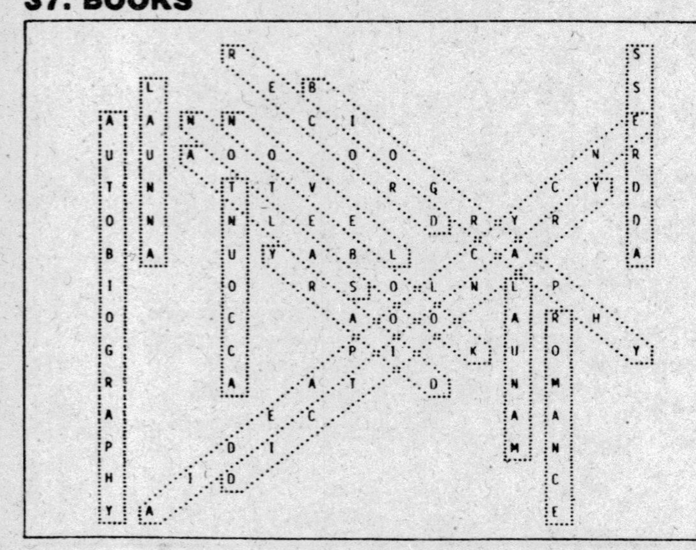

ACCOUNT
ADDRESS
ANNUAL
ATLAS
AUTOBIOGRAPHY
BIOGRAPHY
DIARY
DICTIONARY
ENCYCLOPAEDIA
MANUAL
NOTEBOOK
NOVEL
RECORD
ROMANCE

9. LOOSEN

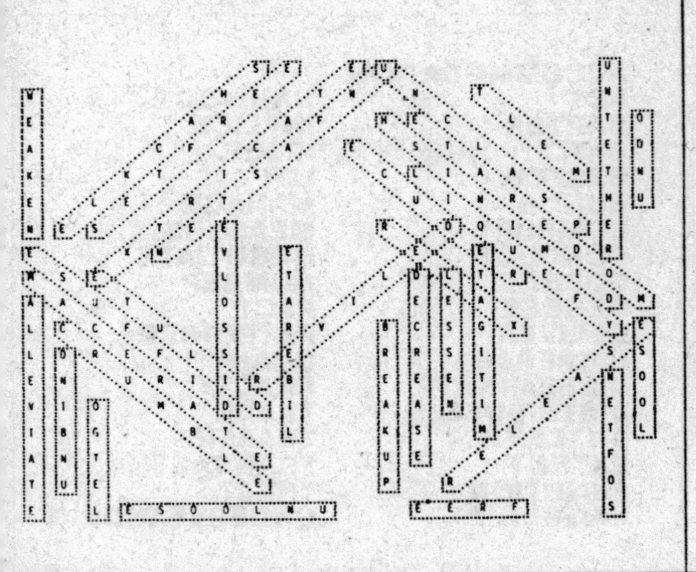

40. TALKING AGAIN

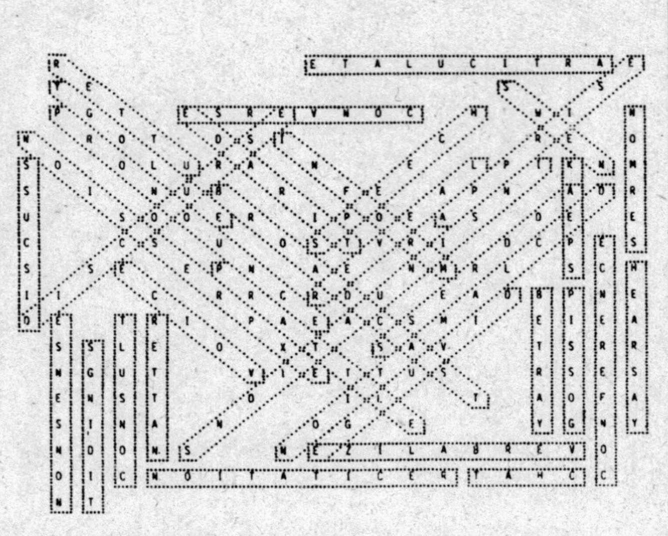

HARDER PUZZLE SECTION

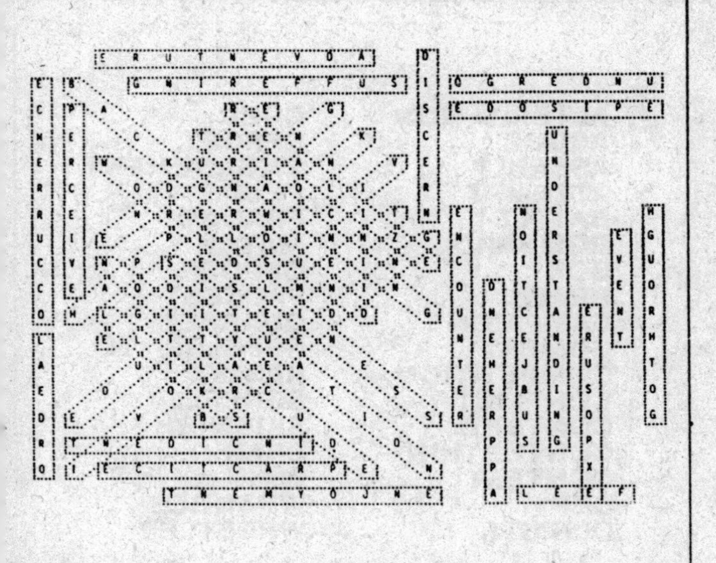

41. THAT'S LIFE

ADVENTURE
APPREHEND
BACKGROUND
BREEDING
DISCERN
EDUCATION
ENCOUNTER
ENDURE
ENJOYMENT
EPISODE
EVENT
EXPOSURE
FEEL
GO THROUGH
HAPPENING
INCIDENT
INVOLVEMENT
KNOWLEDGE
OCCURRENCE
ORDEAL
PERCEIVE
PRACTICE
REALIZE
SITUATION
SKILL
SUBJECTION
SUFFERING
TRAINING
UNDERGO
UNDERSTANDING
VICISSITUDE
WORLDLINESS

42. FINISH

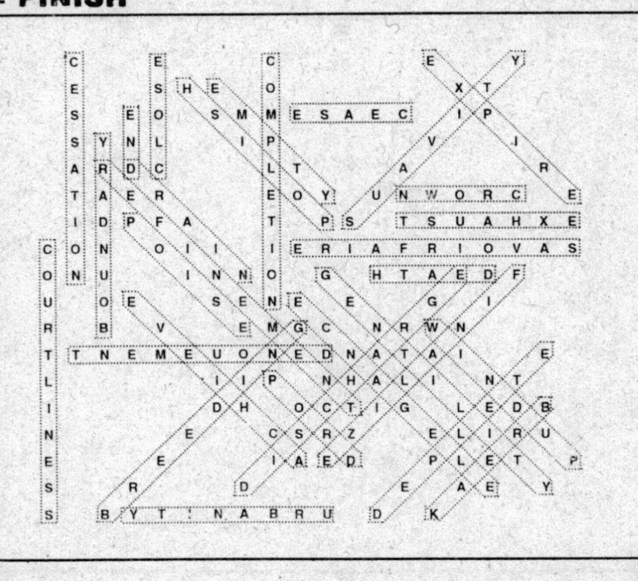

ACHIEVE
BOUNDARY
BREAK
BREEDING
CEASE
CESSATION
CLOSE
COMPLETION
COURTLINESS
CROWN
DEATH
DENOUEMENT
DEPLETE
DISCHARGE
DRAIN
DROP
ELEGANCE
EMPTY
END
EXHAUST
EXPIRE
FINALIZE
GENTILITY
POISE
POLISH
REFINEMENT
SAVOIR FAIRE
SUAVITY
URBANITY
WIND UP

43. DEAL

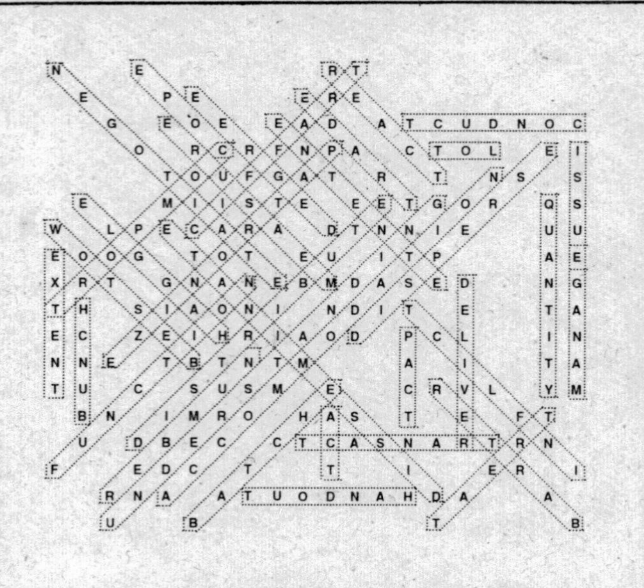

ACCOMMODATION
ACT
BARTER
BATCH
BESTOW
BUNCH
COMPORT
CONDUCT
COPE
DEGREE
DELIVER
DISPERSE
DISSEMINATE
DISTRIBUTE
ENTENTE
EXTENT
FUNCTION
HAGGLE
HAND OUT
INFLICT
ISSUE
LOT
MANAGE
MEASURE
NEGOTIATE
NUMBER
PACT
PATRONIZE
QUANTITY
REACT
TRADE
TRAFFIC
TRANSACT
TREAT
UNDERSTANDING

44. FIGHT

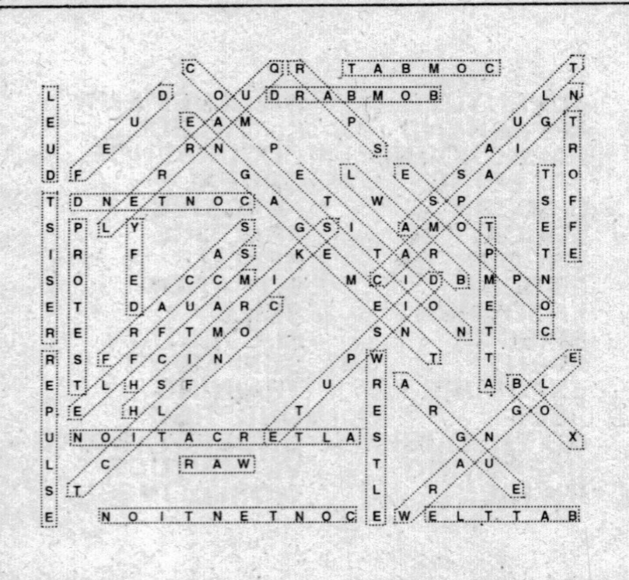

ALTERCATION
ARGUE
ASSAULT
ATTEMPT
BATTLE
BOMBARD
BOX
BRAWL
CAMPAIGN
COMBAT
COMPETITION
CONFLICT
CONTEND
CONTENTION
CONTEST
DEFY
DISPUTE
DUEL
EFFORT
ENGAGEMENT
FEUD
FRACAS
MATCH
OPPOSE
PROTEST
QUARREL
REPULSE
RESIST
SCUFFLE
SKIRMISH
SPAR
WAR
WRANGLE
WRESTLE

WORD FINDER

ANSWERS TO THIS SECTION ON PAGES

75 – 80

1. MALES

ABBOT
ACTOR
AUTHOR
BASS
BROTHER
CHAP
COMEDIAN
COMPERE
COUNT
DUKE
EARL
FATHER
FATHER-IN-LAW
FELLOW
FINANCE
GRANDFATHER
HERO
HOST
HUSBAND
KING
LAD
LORD
MAN
MASTER
MONK
NEPHEW
PRINCE
SON
SON-IN-LAW
SULTAN
TENOR
UNCLE
WARLOCK

S P D C M O R S B I G X B L H N F Z H F
Z U W L I A N O S G B H Z M R I G O S I
S V L I P E N B T A S Y X H V A S M W N
O E W T P T O R R C B W L P F T E P N A
N I U H A R R E H T A F D N A R G R D N
K O E G E N T H O Q Z K K Y T M L O U C
Z W N H H S V R C B N K D L H D O N K E
V I H X A D N A I D E M O C E Q R E E T
K H Q M J L N T P D S N E Q R X D T O L
R E H T O R B A R A K O C Q D O S B W S
W L Z L X K H W Y L S F N O S Y B P O V
A L W Y I C Y D S P D C K I M A I A L U
R U Z Y V X K Y R Z L N Q W N P H U L N
L S T W A L N I R E H T A F A L E M E C
O L N H Q O N A A M L U N B H D A R F L
C H X P O C A N O Q J H S U S D T W E E
K I I W E R D N P D R T R Q O U W C F H
F U K F Q L K L A H Z B E J Q C H I M M

2. REMOVE FIRST LETTER ANOTHER WORD

ABASEMENT
ABOUNDING
BANGLE
BEACH
CHANDLER
CHASTEN
CLEAVER
CLIMB
DAUNT
DAWNING
EASTER
EBONY
ELAPSE
ELATE
GAMBLE
GELATION
NOUGHT
ODOUR
OMISSION
PEARLY
PENTANGLE
PLIGHT
PLUMP
RAFTER
SLUSH
SMOCKING
SOFTEN
SPRINTER
STABLE
TALLOW
VAGUE
WAILING
WASSAIL
WOMEN
YARROW

X G C B Z O S P W V K S F R I F F C I F
X V N Y N O B E L N J S W E S B M A A F
J B P I J N G U O U R N O T H C A E B X
W G T J N U A I B T M V R S R U O D O R
G C G H G W S B C N J P R A W S Y M E C
I X H N G S A R O L E S A E Z T L V A W
Z P M A I U E D A U I T Y Y E M A T A M
W C R M N K O L O F N M F Z K E M I E F
A H O G E D C N G E T D B O L T L T L P
S A W E Q E L O M N L E I C S I E E B T
S S C N U B L E M I A E R N N O L S M H
A T Y E L G S B R S W T O G G C P E A G
I E L F T A A U A O C I N E N R L J G I
L N R H B A C V L T T T L E I A H T D L
G T A A N O L L G A S G M N P J K A L P
J S E W F B A E L Z N O T S U U U R N Y
Z Q P I R T X E T A W E E B R N P T P R
M H S U L S G E B G R Y M C T D I P S S

3. LEGS

ARTIFICIAL		
BANDY	GRACEFUL	SMOOTH
BARE	HAIRY	SPLAYED
BROKEN	LAME	SPLINTED
CABRIOLE	LONG	SQUARE
CARVED	LOWER LIMBS	STEEL
COVERED	MUSCULAR	STRONG
CURVED	SHAPELY	TANNED
ELEGANT	SHORT	TAPERING
FAT	SKINNY	THIN
FRACTURED	SLENDER	WOODEN

K F Q Z G Q I A L G K Y Y J X N T Z O Y
R K D B M N N Y H Z N Y P V C L E W S D
E R A U Q S I N E D O O W M O I M T F N
Z R E L X W S R S T F K R N E K O R B A
F A M V G D B F E M M A G T H T A S L B
T L A V C R E L C P O G L S S C A T U X
R U L Y W Y X Y W S A O P N T M D E F D
O C E L O I R B A C V T T U C O E E E E
H S J S O Y F I E L L L R H L F V L C V
S U C Z B A L R Z N P E L A R D R E A R
X M E B T M E E D H D S I Z E O A F R U
Y F A Y K D I E P R C C C R K T C Q G C
J R V N N W N L D A I C E R B T Q K E V
E M I E S N L B R F H V Y N N I K S C R
K H L O A N Z Y I E O S R T N A G E L E
T S D T H H C T K C W R J Z F W J R P T
I P G H D G R H F J G O D E T N I L P S
Y R I A H A W F G S Q U L C O K J E V E

4. ALTOGETHER

AMASS
ASSEMBLAGE
ASSEMBLE
CLUB
CO-OPERATION
COALESCENCE
COLLECT
COLLECTION
COMMUNE
COMMUNITY
COMPANY
CONCLAVE
CONCOURSE
CONGLOMERATE
CORPORATION
CROWD
ENJOINED
FELLOWSHIP
GATHERING
HOLUS-BOLUS
HOST
JOINED
KIBBUTZ
MASS
MULTITUDE
MUSTER
SOCIETY
SOLIDARITY
TOGETHERNESS
TUMULT
UNITED

R H Y T E I C O S Y N A P M O C L M P S

Z E E U S T C E L L O C U C V H Y E O D

H A T N N S U V V Y M W O P U P T L Q S

O J S S U X A H R U Q L B H C A I C T E

S D J S U M U M L C L A M O R D A H C L

T A G P E M M T J E Z P R E A X C T G B

N B U L C M I O C K I P M R E F I O A M

O D W Y F T B T C H O O I V S H C G T E

I U S T U H I L S R L T A K J S C E H S

T J Q D Y O Y W A G Y L U V E U O T E S

A F E N N J O T N G C Z D U N L N H R A

R T L M O L I O I N E E I O J O C E I K

E U I A L O C S O N N C R Q O B O R N I

P M Z E N B S C O I U T P O I S U N G B

O U F Y G A D W O R C M U H N U R E N B

O L C O M I I J V Q T K M G E L S S T U

C T P A D E T I N U O R A O D O E S Z T

E C N E C S E L A O C P I C C H V C Y Z

1. Where you play skittles
2. Draw near
3. There are trees here
4. Almost touching
5. Woo
6. Shape of the moon sometimes
7. Take the car
8. Small wood
9. Narrow road
10. Procession
11. Hall
12. Particular spot
13. Leisurely walk
14. Get up
15. Area with four sides equal
16. Ordinary route
17. Don't run
18. Direction

1. A - - - -
2. A - - - - - - -
3. A - - - - -
4. C - - - -
5. C - - - -
6. C - - - - - - -
7. D - - - -
8. G - - - -
9. L - - -
10. P - - - - -
11. P - - - - - -
12. P - - - -
13. P - - - - - - - -
14. R - - -
15. S - - - - -
16. S - - - - -
17. W - - -
18. W - -

A DOUBLE PUZZLE
Solve the clues to find the list of words hidden in the puzzle. The answers are in alphabetical order.

Q	Q	K	B	E	U	P	J	E	Y	A	M	R	W	Y
P	U	V	S	M	Z	T	N	E	C	S	E	R	C	Y
E	S	O	E	R	R	L	N	C	S	L	O	D	R	A
E	L	L	K	E	F	T	P	Z	W	I	O	D	N	W
C	A	T	R	U	O	C	R	I	S	I	R	R	I	D
E	N	O	K	Q	A	S	O	Z	E	T	Z	I	G	R
J	A	L	M	M	Y	E	M	W	D	Y	R	V	E	L
A	A	V	N	I	T	I	E	U	A	U	E	E	I	E
W	C	N	E	L	O	G	N	X	R	T	F	L	E	E
P	T	M	A	N	A	G	A	O	A	C	T	E	L	T
L	Y	N	X	S	U	I	D	C	P	N	L	J	G	A
A	E	A	S	Z	H	E	E	O	E	R	A	U	Q	S
C	K	A	N	O	K	P	H	P	B	G	S	F	L	M
E	P	H	C	A	O	R	P	P	A	V	O	X	O	T
F	W	D	L	M	E	V	O	R	G	G	Y	R	F	Y

5. ROAD TO SOMEWHERE

6. CORRECT GRAMMAR

ACCUSATIVE
ACTIVE
ADJECTIVE
ADVERB
AGREEMENT
ARTICLE
CASE
CLAUSE
COMPOUND
CONDITIONAL
CONJUNCTION
CONSONANT
DATIVE
ELISION
ENDING
FLEXION
FORMATION
FUTURE
GENDER
HARMONY
IMPERATIVE
INDEFINITE
INTONATION
LINK
NEGATIVE
NOMINATIVE
NOUN
PARTICIPLE
PASSIVE
PREDICATE
PRONOUN
ROOT
SENTENCE
SPELLING
SUFFIX
TENSE
VOWELS

```
N O I T A M R O F A I Y I E
F I N O I X E L F C S C U S
E W D T G U S F X C P V B N
J Q E V I T A S U C C A N E
E L P I C I T R A P F Y U T
J T I D H U N K R N Z A E E
B H C N E C W O E E C N V R
E Q H G D V E G I T D I D C
C V W M Q E A R I S S N O W
M D I B Y T F V U S I N E S
J V T T I N E I A T J L U G
S F A V A R O P N U U G E Z
M E E D V R G M N I C F S C
V S N J J E E C R O T C L H
O P K T C E T P M A O E E A
G R E U E I C P M N H I W Q
F N V S O N O T S I Q N O Y
C B I N U U C O I G F T V C
T R T L N F N E I V F O O I
N O A D L A F S K Q E N O L
E O N O N E L I M U D A P I
M T I T J K P U X I A T R N
E J M X O E N S T R L I E K
E T O H N U V I T G S O D G
R K N N O J O I G Y E N I N
G J X N F N C F T Y B T C I
A Z O W A L E S U A L C A D
X R Z L E I B R E V D A T N
P E S A C B N U O N K W E E
```

7. TO BE

I	T	C	Y	E	R	U	D	N	E	T	E	V	I	L
L	A	D	E	F	B	F	D	U	S	N	M	F	A	D
B	L	S	H	P	S	P	G	A	D	I	H	A	C	Z
P	V	Q	T	W	W	S	L	E	Y	A	V	H	T	M
I	H	J	A	A	F	C	T	U	V	M	Z	F	U	P
N	O	L	E	B	N	P	U	N	T	E	C	E	A	F
E	Z	J	R	H	R	D	H	I	Z	R	V	Z	L	G
A	V	P	B	E	I	D	F	T	S	H	X	I	W	N
Y	H	I	V	A	B	V	L	N	R	Q	E	I	L	R
X	Q	A	V	L	S	S	S	O	G	A	N	Z	A	A
I	I	E	L	R	Z	N	Q	C	H	H	E	L	A	R
L	D	C	X	K	U	Y	N	Y	A	Y	K	N	G	E
W	W	T	D	I	A	S	T	B	U	X	G	G	O	S
Y	P	P	I	T	S	R	I	Z	I	Q	D	G	M	T
K	F	G	S	P	D	T	E	C	N	E	S	E	R	P

ACTUAL
ALIVE
BREATHE
CONTINUE
ENDURE
EXIST
HOLD
INHABIT
LAST
LIVE
ON EARTH
PRESENCE
PREVAIL
REMAIN
REST
STAND
STAY
SURVIVE

8. BIRDS

BLACKBIRD
CROW
DOVE
FINCH
LARK
PIGEON
ROBIN
THRUSH
WREN

F	Q	N	U	Y	Y	S	U	R	B	Y
K	U	Y	V	T	O	U	I	L	A	M
R	Q	M	Q	W	R	H	A	T	D	M
A	N	A	L	O	C	C	G	O	C	D
L	S	N	B	A	K	Y	V	M	K	R
B	R	I	O	B	C	E	B	A	L	T
J	N	V	I	E	E	R	K	E	H	H
X	Z	R	D	S	G	Z	O	A	C	R
M	D	F	S	F	X	I	H	W	N	U
J	N	E	R	W	K	Y	P	S	I	S
L	Z	B	U	X	J	N	G	C	F	H

9. HOW DOES IT FEEL?

ABRASIVE
BLUNT
BUMPY
BURNING
CHILLED
COARSE
COLD
DAMP
DOWNY
DRY
EVEN
FLAKY
FLUFFY

FROZEN
GRITTY
HARD
HOT
JAGGED
LEVEL
MATT
PIMPLY
POWDERY
PRICKLY
ROUGH
SHARP
SILKY

SLIMY
SLIPPERY
SMOOTH
SOFT
SPRINGY
STICKY
STIPPLED
TACKY
UNEVEN
WARM
WET
WRINKLED

S Y T Q F R C P H E N H J A L X W F N V
Y I N A M W V R R W Y I O S C S C L Y B
K I L W C U X T L X E F V E H W D D I Y
C B R K O K V M V C P T F E I A J E Y P
I A O I Y D Y S Z M D W S U L R H L M M
T E V I S A R B A E R R D W L M O P I U
S U T Y Q P N D G I A S R Y E F T P L B
E B C E K R W G N O O N A F D N E I S D
T O Y J N A A K C O I U H N W V Y T T B
P Y H U S J L K U W Y K P Y E R W S G G
P R Q R D E H F K T B T I N E F B R O A
P S A N D T U R T U T F M P J R L Z W N
L O E H O S O I R A B F P L N O U N W N
E F W O S U R N M C P I L J G Z N R C E
V T M D G G I E C L L A Y F N E T V V V
E S A H E N N Q G S S D L O C N D U Q E
L G L K G R P R X U B Z Y L K C I R P N
S F L L N L Y O Y G N I R P S S E Z Y U

10. PAPER

BANKNOTES
BOOKS
DECORATION
DOCUMENTS
DRAWING
EDITOR
ESSAY
MAGAZINE
MANUSCRIPT
NEGOTIABLE
NEWS
PARCHMENT
PRESS
PRINTING
PUBLICATION
PULP
RAGS
READ
REAMS
SHEETS
STRAW
TORN
VELLUM
WOOD
WRAPPING
WRITING

```
Y M Z I W G L V S G N I W A R D R V T T
N Z E R J F S T E E H S G C S V N S S N
R R S T N E M U C O D H M P J E R E G Y
Q I O C Q H T L J Q X A F A M L B M N G
C H S T E S S E R P G G R V Y L R H I N
H Z C O D N O I T A R O C E D U O J T I
W D H S I T Z R Z L L Z Z E A M O L I P
K K G S T F L I P Z N Y P H M M L A R P
Z A S B O S N B F O T V C L M W S C W A
R G F X R E E P I T D P Y E U R O P L R
G Z E L B A I T O G E N I A B P A O H W
T N V A I O A B O N M U N R S R X Y D Y
E H I X G C W I R N I A K B C S N S P C
T N U T I O N O E Z K C Y H O S E E P A
C O Q L N F R T A Y O N M F T O U W W D
M H B V T I Z X D Y E E A R E W K N D S
B U A Q X A R I E V N D A B T I Y S A D
P C P B U E J P Z T A W O U W O X P M M
```

11. IN A WORKBOX

Q	S	D	T	Q	E	C	H	E	N	G	T	G	B	I
Q	N	N	B	O	D	E	I	I	L	G	S	N	I	P
L	I	P	U	I	R	E	K	T	P	B	X	T	I	N
J	U	Y	D	C	M	D	L	M	S	J	M	N	D	W
V	Q	U	O	Y	O	S	D	K	M	A	C	I	H	G
C	E	I	K	B	E	B	N	N	C	U	L	V	H	P
H	S	O	H	L	T	D	X	W	S	U	Y	E	D	T
P	O	P	D	S	B	X	R	H	O	O	B	T	U	T
H	I	E	N	J	E	U	I	E	W	O	R	T	T	H
O	E	Z	L	L	I	O	T	V	D	B	L	D	A	R
N	M	Y	D	L	N	L	D	T	A	A	J	C	P	E
Y	H	U	E	R	C	Q	I	Z	O	B	E	D	E	A
J	T	R	G	P	P	C	T	I	B	N	S	R	D	D
S	V	O	J	V	N	O	T	T	O	C	S	R	H	Y
O	H	K	H	U	R	U	Q	Q	E	R	I	W	W	T

BODKIN
BUCKLE
BUTTONS
COTTON
ELASTIC
EYE
HOOK
NEEDLES
PINCUSHION
PINS
SEQUINS
STUD
TAPE
THIMBLE
THREAD
THREADER
WOOL
ZIP

12. EXTRA

ALSO
AMOUNT
AMPLE
AS WELL
BESIDES
EXCEED
MIRE
OVER
SPARE
SURPLUS

Q	X	N	I	S	E	A	Y	K	G	C
H	S	J	P	K	V	X	H	E	S	A
Q	N	A	Y	D	C	Y	C	T	A	I
U	R	V	L	E	H	M	U	E	B	T
E	S	U	L	P	R	U	S	T	E	W
T	W	Q	E	A	A	I	E	P	S	D
K	R	Y	W	L	M	L	M	Z	I	M
M	O	G	S	E	P	O	L	C	D	W
R	V	O	A	M	F	B	U	E	E	B
X	E	N	A	W	Z	P	O	N	S	U
F	R	I	D	C	V	I	T	T	T	M

13. UNWAVERING

BENT ON
CONSTANT
DECIDED
DETERMINED
DOGGED
FAITHFUL
FIRM
FIXED
IMMUTABLE
INTENT UPON
LOYAL
OBSTINATE
PERSEVERING
PERSISTENT
RESOLVED
SELF-RELIANT
SERIOUS
SET
SETTLED
STAUNCH
STEADFAST
STRONG
STRONG-MINDED
STUBBORN
TENACIOUS
TRUE
UNCHANGING
UNCOMPROMISING
UNSHAKEN

O	L	C	G	N	I	R	E	V	E	S	R	E	P	L	F	M	S	R	T
S	I	C	T	U	V	L	F	F	N	N	S	L	U	V	C	G	E	T	S
U	U	R	T	B	S	I	I	O	J	I	X	F	L	I	S	O	I	N	A
O	W	N	U	D	X	G	P	V	U	P	H	B	D	T	U	S	S	A	F
I	E	M	C	E	E	U	Q	N	R	T	B	E	M	N	O	T	N	T	D
R	A	T	D	O	T	D	S	A	I	H	D	N	L	E	I	U	C	S	A
E	B	C	A	N	M	H	I	A	T	N	W	T	D	T	C	B	D	N	E
S	D	U	E	N	A	P	F	C	I	N	X	O	U	S	A	B	E	O	T
C	D	T	T	K	I	I	R	M	E	E	A	N	B	I	N	O	V	C	S
F	N	E	E	X	R	T	G	O	L	D	C	I	V	S	E	R	L	L	U
I	I	N	T	M	Z	N	S	B	M	H	Q	B	L	R	T	N	O	O	V
S	E	D	I	E	O	S	A	B	A	I	H	R	N	E	F	G	S	Y	F
O	E	X	S	R	R	T	T	N	O	D	S	C	E	P	R	H	E	A	F
V	R	T	T	M	U	M	G	R	E	Z	C	I	N	U	L	F	R	L	P
U	T	S	T	M	V	I	I	G	O	E	D	A	N	U	R	U	L	O	S
M	E	P	M	L	N	X	G	N	V	N	L	L	W	G	A	T	K	E	A
E	S	I	K	G	E	O	B	F	E	Y	G	E	Y	F	E	T	X	Q	S
M	H	J	G	G	D	D	T	G	C	D	J	D	O	K	L	S	S	C	A

1. Relieve suffering
2. Ameliorate
3. Increase the popularity
4. Stillness
5. Shout of applause
6. Well-being
7. Lessen grief
8. Relaxation
9. Urge onwards
10. Assist
11. Give confidence to
12. Repair
13. Relent
14. Reduce anxiety
15. Prevent from falling

1. A - - - - - - - -
2. A - - - - - -
3. B - - - -
4. C - - -
5. C - - - -
6. C - - - - - -
7. C - - - - - -
8. E - - -
9. E - - - - - - - -
10. H - - -
11. R - - - - - - -
12. R - - - - - -
13. S - - - - -
14. S - - - - -
15. S - - - - - -

14. SOLACE

T	F	P	G	M	T	P	T	S	O	O	B	U	E	Z
R	C	G	E	G	A	U	S	S	A	Y	P	N	B	B
O	V	D	M	Q	H	K	V	E	A	B	C	L	S	N
F	D	C	V	L	X	E	F	W	O	O	E	J	O	D
M	O	S	E	Q	A	S	X	E	U	T	X	C	F	N
O	A	P	R	S	U	C	B	R	A	S	R	Q	T	B
C	X	X	Q	P	A	C	A	I	Y	O	E	P	E	V
E	Q	H	P	R	O	G	V	D	O	I	S	A	N	G
D	O	O	P	N	E	E	P	K	F	S	T	D	A	V
V	R	F	S	L	L	A	W	R	T	V	O	T	Y	H
T	E	O	U	L	E	C	S	V	E	B	R	Y	Q	P
G	L	S	A	M	B	H	D	S	Y	E	E	T	Y	S
E	P	G	A	S	L	P	E	S	U	K	H	B	O	U
V	P	E	P	E	O	W	K	Y	B	R	H	C	W	R
E	H	T	O	O	S	A	A	A	J	R	E	L	P	G

A DOUBLE PUZZLE
Solve the clues to find the list of words hidden in the puzzle. The answers are in alphabetical order.

15. LEARNING THE ROPES

U E R Y M O D S I W H Q Z J

E N G E R N H A V X H S Y T

S C I A T I O P R C C T T D

T I O V L S U C O T R E J B

U A X L E E A Q U R A D U S

D U H E L R T M N C E K K L

Y G L D L E S U H I S D W D

G U Q I A O G I T V E E M J

A K L F G T N E T K R A S A

K N D I L G T B F Y T C C N

Y O G C E J C A S R H N O U

Z W N A A Z U P I O S I W P

D L I T N M E C L N T P U T

S E D I I L U A G I M K N S

S D A O L L R V D R C E H X

B G E N A S C U G I I C N B

Y E R T H A R R P Y R N S T

T L E I Q E C S J A Y N D Y

A V P N O I T A M R O F N I

U L H B L Y M R G D L P I H

S W H G U O R H T E D A W X

O M I C G H I L L I K S E E

P R E W U E E M G E V O L G

E I A K V L T A B X N A Q A

R V T N E M T H G I L N E L

U T G X Q H T U A C B B B I

S E L F E M F T R I D E U P

A S B R B G B R X E C Z N U

L W F Y X O T C E L L O C P

ART
ATTAINMENT
COLLECT
COLLEGE
CON
CRAM
CULTURE
EDIFICATION
ENLIGHTMENT
ERUDITION
GATHER
GET
GLEAN
GRIND
IMBIBE
INFORMATION
INQUIRY
KNOWLEDGE
LOVE
MASTER
MATRICULATE
OBTAIN
PERUSAL
PICK UP
PORE
PUPILAGE
READING
RESEARCH
SCHOLARSHIP
SKILL
SPELL
STUDY
TEACHING
TUTELAGE
UNIVERSITY
WADE THROUGH
WISDOM

V W Y D Y E D A H R K H T G O L P D U B
Z Y A M B U G T K R N W T Q N N W F F G
T U E I S H O A G E A A E O R I R A A B
L J B T A L C H D A T L M G L E T R H Y
I L E D C X U R A N L T L E D C N N N S
U R L Y D A M E X N A F L O T A H N U R
Q Q A I O N M N P D D B V E C A B S A B
K R M F R Q E N C A E K D D H S P S I B
T D F A W F R U W E T T E M E O S E K D
I V F C P R B R T M I N T R T A L N L C
K J Q E G K U E D Q O T N E C B G D I X
R I U F J T N L U R K N E A I H E E E Q
B V E L P H D B P N O H M S F V I L V R
F B G A A J H A M B S I B R E P R E T K
R S K N R P L T B T T S A L N K C E F B
C C Y N T H T I S N K C I N H Z I L S P
S E C E S H R U A G S I Y L I O D T E A
C T P L D V D U V F R E E S K O B K E N

16. BITS OF MATERIAL

ANTIMACASSAR
APRON
BADGE
BANDAGE
BANNER
BIB
BELT
BUNTING
COLLAR
CUMMERBUND
DISHCLOTH
DOILY
DUSTER
DUSTSHEET
FACE FLANNEL
FLAG
FRILL
HANDKERCHIEF
KETTLE HOLDER
KITE
NAME TAPE
QUILT
RAG
RIBBON
SCARF
SERVIETTE
SHAWL
STRAP
TABLE RUNNER
TAPE
TIE
TRAY CLOTH
VEIL

17. IT'S IMMATERIAL TO ME

DISPENSABLE
EXPENDABLE
FLIMSY
INCONSEQUENTIAL
INDIFFERENT
INFERIOR
INSIGNIFICANT
INSUBSTANTIAL
MEDIOCRE
MINOR
NEGLIGIBLE
OBSCURE
OVER-RATED
PALTRY
PATHETIC
PERIPHERAL
PETTY
PITIFUL
POWERLESS
PUNY
SECOND-RATE
SMALL
SUPERFICIAL
TRIFLING
TRIVIAL
UNIMPORTANT
UNINFLUENTIAL
UNNECESSARY

```
Z I C P P L O I E L B A D N E P X E B E
D M I M I B A Z G G G L E S R M Y X F Y
I N T I T U Y I N P A N I A E X T D M F
S E E N I C C X T I E N I D M C T S K I
P L H F F N Z S V N D R I L T L E L G M
E B T E U N S I S I E O I N F C P L S T
N I A R L F R U F E C U A P O I A C N C
S G P I U T L F B R L C Q N H I R A V D
A I B O N R E I E S I R D E T E T T E P
B L N R N R F U M F T R E N S R R T M U
L G H L E C L M I S A A E W O N A A E N
E E J N C D Z N E T Y U N P O R O Y L Y
Y N T Y E W G Y E G L M M T R P M C O I
R S Y F S I C Y N F W I R E I J Z I N D
T H H O S Z J M N G N O V L L A M S R I
L V X N A X C I D U N O V N O R L I Q C
A D I A R W N Q W I K E R U C S B O T U
P U A Q Y U D L M L A I C I F R E P U S
```

18. MAKE IT CLEAR

W D Z P Q X R E H P I C E D S
R S D N U O P X E V E K L G Q
W P I G U E I D C L D O W C G
B Y C M L N Z E U R F T U X T
N N T P P Q R C Z N N N U R U
E I E Q U L I A U J T C A T I
T A D I P D I E V A G N S L N
H L O S A C U F N E S Y O C T
G P C T B R P G Y L L I L L E
I X E F T L L S A I Y M V A R
L E D S A E P T W U K V E R P
N E N E Q Z E M L W E C J I R
E O V O M T U O L L E P S F E
C E R S K M N A H A L D U Y T
R S M H F L F I P U R A E L C

CLARIFY
CLEAR UP
CONSTRUE
DECIPHER
DECODE
ELUCIDATE
ENLIGHTEN
EXPLAIN
EXPOUND
INTERPRET
REVEAL
SIMPLIFY
SOLVE
SPELL OUT
TRANSLATE
UNFOLD
UNRAVEL
UNTANGLE

19. PLAY OF COLOURS

CHECK
IRIS
MOSAIC
OPAL
PIEBALD
PLAID
RAINBOW
SPOTS
TARTAN
TULIP

O D E V C S V P K L G
A A Y Q I F P D E J M
T D G L A Q D O L C Q
A D H A S I W L T G T
G L X P O R C P R S A
K A F O M P L A B Y R
S B J I F A I O E I T
I E I G I N A L B A A
R I J D B O K G U X N
I P K O F J O R A T T
C H W L D K C E H C Y

20. SH!

ABOLISH
ASHAMED
BANISH
BASHFUL
BISHOP
CASHEW
CASHIER
CRUSHED
CUSHION
DISHES
FASHION
FRESHEN
GEISHA
GNASH
INSHORE
LEASH
MARSHAL
MUSHROOMS
OUTSHINE
OVERSHADOW
PUSHOVER
QUASH
RUSH
SHERIFF
SHIP
SHUFFLE
SPLASH
THRESHOLD
TICKLISH
TRASH
USHER
WASHING
WISHES

H T W U Y T J R C E N L Y X W S K Z B C
S H W X R I E W H S H S A R T E C W H L
I R D P H C H B E H H R O L X H U O E J
L E S I S K M M I H S U E O Y S S D X O
O S R H A L M U Z I S A F Q G I H A S J
B H R S N I A U A G S A L F T W I H H C
A O E E G S P U S H R T C P L B O S E I
Q L D L V H V P O H S I B P S E N R R N
K D E F S O Z J E Z R N Q G Q N U E I S
C W M R S J H K W N S O A O N S C V F H
A A A E L H I S P W I I O H H I I O F O
S C H S L B G X U V V H Z M S S H Z R R
H R S H A V A C P P R S S C S I I S E E
I U A E H H L S I E B A E T G P E N A Y
E S A N S S H M H F R F H J U S Z G A W
R H C B R G A S M F G H S K Q O I R E B
W E B B A O U U M P U Z I G G A D G E S
A D V F M K A N Q P P L D W I A F Y Y L

21. WHICH SHELL?

ALMOND
AMMUNITION
CARTRIDGE
CHESTNUT
COBNUT
COCKLE
COCONUT
COWRIE
DUCK EGG
FILBERT
GUN
HUSK

NACRE
NECKLACE
PEA
RAZOR
SCALLOP
SHOCK
SNAIL
TERRAPIN
TORTOISE
TURTLE
WALNUT
WHELK

M Y M S H E U K S U H Q C F T I Y V H R
T U N B O C I R R R Q I I R Y U P K C K
T U N L A W D R H A R E E I I G R R Q R
Y J S T W T T K W U Z B R N O X L T N G
Y T S U O U V U M O L O I C N I F E L I
N Y Z Q S N O D N I C P R X A O I U F E
J N M Q X O L Q F T A O N K S N C A N Y
U R O V E C J J Q R S E I C E T A E K A
G S R I O O P N R G C E A G O U R K B L
T H A N T C T E T K J L H R D Z T C P M
P O H M T I T L L E L P T C L Y R C C O
V C G L L I N A L O X O Q T D Z I C N N
S K G R T Q C U P V I M W G W P D O P D
F R E G Y E H W M S W G U Q L D G C B K
T Y K H H E S U E M J N M I A U E K L A
T A C G Q K O Y K K A P A E M N B L J I
J F U T K L E H W O Y N P B E S H E P M
E A D P N T Z R W L S J W C U W F U U C

22. VOLCANIC

ACTIVE
BLAZE
BURN
CHAR
CINDERS
CONFLAGRATION
DISCHARGE
DORMANT
EMISSION
ERUPT
ERUPTION
ERUPTIVE
EXTINCT
FIRE
FUMAROLE
GASEOUS
HEAT
INACTIVE
INFERNO
LAVA
NOXIOUS
OBSIDIAN
PUMICE
PUMICE-STONE
SCORCHING
SHOWERING
SMOKE
SPURTING
SPUTTER
STEAM
VAPOUR
VULCANOLOGY

T E H E L E B T E G N A I D I S B O T A
V X N E C K K O O L M T I Z S P D O E A
R R O V H I S O D I O V A P P I H R B E
U V I I X O M R M O I R U V S E U E X Y
O Q T T E H R U E S R R A C A P H X W O
P E A C M N Y A P D T M H M T L Y T E T
A R R A A F O O H I N A A V U S N I R A
V U G N E J S T N C R I U N H F D N E E
E P A I T D S G S G J L C O T I V C T H
V T L G S M B C E E C G W S N P X T T X
I I F A N Z Q Z O A C E A C U W J E U Y
T O N L Z I F S N N R I D S W O M R P L
C N O H B E H O K I R K M H E I I T S U
A I C A Z X L C N T U E U U S O Y X A L
B F P A F O B G R E R I F S P N U Y O S
R G L L G P U E X O Z U I N A Z F S G N
X B D Y A G R J O Q C O I Q I E E B X Q
B V A D T U N D P T N S E V I T P U R E

23. MEDICINAL PLANTS

G A T R O H P M A C A N W X
K C O L M E H A G N H N J E
R N J T Q Y Q L I W P I V G
E F S E O L A S K W F D N K
P E I E S A E S T R A E H D
I N S R Q I D C Y G S A D M
N R D S E M R L Z N W D C J
U E C N S W H I I L M A B O
J F Y T O Q E G S A Q N O N
W R R I U M L E W U I E T Q
T E R M Z E L V D R O W H U
O V E L L U E A Z E L O G I
X E B U E X B C O L P R I L
V F E N N G O E I C E T R M
A D N G N A R H N U C D B K
Z T A W E G E R C D K O E W
C C B O F H R A E N I E Y B
D X H R T T L O A D R V E A
F T X T Z Y H I U G L K E S
F O C H P D T V E N A E E I
A R X T I N A N M C D S R L
C C U G E C E N I G O S R B
R S R G L F A L D R M E E G
E P N O H O E R G E D E T L
G A O D W G V O A N L I I J
N P G S N F D E E W L I N P
I Z I A S X O V K B A C O S
G L J B L Y A O Z M B Y C N
K N L R V L H Y T K S X A G

ACONITE
ALMOND
ALOES
ANGELICA
ANISE
BANEBERRY
BASIL
CAMPHOR
CARAWAY
CROWFOOT
DANDELION
DANEWORT
DOG ROSE
ELDER
ENDIVE
EUCALYPTUS
EYEBRIGHT
FENEGREEK
FENNEL
FEVERFERN
FIREWEED
FOXGLOVE
GENTIAN
GINGER
GINSENG
GROUNDSEL
HEARTSEASE
HELLEBORE
HEMLOCK
HYSSOP
IRIS
JONQUIL
JUNIPER
LAUREL
LAVENDER
LUNGWORT

24. MUSICAL NOTES

J G R E V A U Q Q O J X Y O E E G T L P

V E L A C S R O N I M D T N T L V P Y M

E L G Z G D T H Y C W S E N O C B E N I

L A S T N E L P X H S C A L A M H E R J

A T R E I T S K J R R N S M L N R O R B

C N E N D T Y J T O I E E E I I I A R T

S E K O A O F C T M H C M F Y N R M H D

R M F R E D N C O A M A I Z L R I T O C

O A E C L G H D E T B R Q T D A V M I D

J D R L B E B V E I E G U O B G T N S R

A N O E T U E E D C L E A X C H O O Z A

M U C F S R N T F S A C V S Q T S N E O

R F S Y B O R O C C C J E A R T A U F B

M M G I T S R N T A S I R E E T Z V E Y

X I M I K T H E F L B B P N U P M T E E

C E M R E S O A M E A U U R O N A I P K

S E C N E D A C R S S T A R Z T J J I Q

S M E C I N O T S P O L T N A I D E M E

BASS
BREVE
CADENCE
CHORD
CHROMATIC SCALE
CROTCHET
DOMINANT
DOTTED
FLAT
FORTE
FUNDAMENTAL
GRACE
HARMONY
KEYBOARD
LEADING
MAJOR SCALE
MEDIANT
MINIM
MINOR SCALE
NATURAL
OCTAVE
PIANO
QUAVER
SCALE
SCORE
SEMI-BREVE
SEMI-QUAVER
SEMITONE
SHARP
SOSTENUTO
SUBDOMINANT
SUPERTONIC
TENOR-CLEF
TONE
TONIC
TREBLE
TRILLED

25. SUPPORTS

F	P	H	R	B	S	X	R	A	L	L	I	P	C	V
W	P	W	P	D	R	E	D	R	I	G	M	Y	D	T
F	B	M	A	J	L	W	C	T	P	M	Q	Y	E	D
B	F	L	O	D	V	O	N	F	R	Z	Z	S	S	E
X	P	I	N	E	Y	R	F	O	G	X	A	Y	K	M
I	S	A	G	I	V	E	F	F	Z	K	L	Z	P	E
T	T	D	P	A	R	T	E	X	A	P	A	V	L	F
S	E	Y	X	A	A	S	A	U	H	C	T	Q	G	A
L	L	Y	F	L	D	I	S	F	T	P	S	I	I	E
O	W	T	P	X	J	N	E	T	T	H	E	T	S	I
D	E	C	Q	R	Y	A	L	A	R	T	D	R	L	P
R	H	G	A	Q	L	B	C	S	X	I	E	H	C	N
R	H	E	M	A	R	F	R	D	O	L	P	O	A	H
N	O	I	L	L	U	M	Q	S	Z	C	E	O	E	W
T	F	A	H	S	I	Z	N	K	N	D	I	B	D	O

AXLE
BANISTER
DESK
EASEL
FRAME
GIRDER
JAMB
JOIST
LEDGE
MULLION
PEDESTAL
PERCH
PILLAR
PLATFORM
RAFTER
SCAFFOLD
SHAFT
STAND
TRIPOD

26. ARCH

ARC
BEND
BRIDGE
CAMBER
CURL
CURVE
FLEX
LOW
SPAN
VAULT

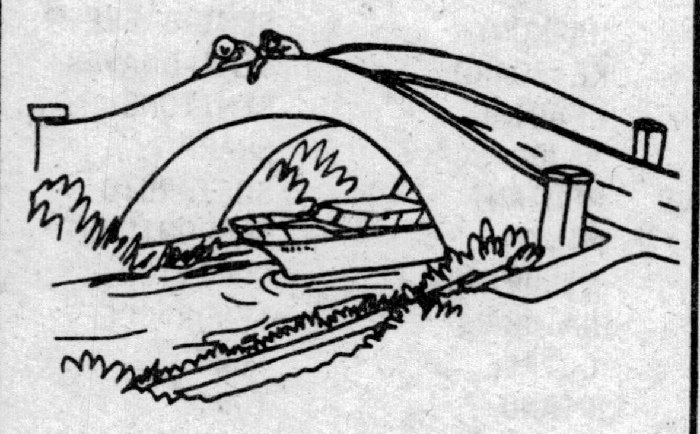

U	R	W	J	V	R	S	E	E	N	S
I	T	T	Q	E	V	K	G	Y	S	D
W	X	D	B	W	Q	D	E	K	V	J
D	W	M	I	P	I	N	V	X	L	E
X	A	N	O	R	K	L	R	W	C	Y
C	I	I	B	N	E	P	U	M	M	V
T	L	M	V	L	R	U	C	S	T	K
L	A	R	A	B	X	Q	L	E	S	B
O	E	V	U	E	E	M	A	P	V	X
W	J	W	L	M	P	N	A	R	K	V
F	C	F	T	N	A	N	D	P	C	X

BARGE
BED-SITTER
BOAT
BODYGUARD
CAB
CAR
CARAVAN
CHALET
COACH
DECKCHAIR
DETECTIVE
DRESS SUIT
EQUIPMENT
FANCY DRESS
FILM
FLAT
FLOWERS
GHOST
HALL
HAULAGE
HOTEL ROOM
HOUSE
LORRY
MARQUEE
PARKING SPACE
TAXI
TENT
UNIFORM
VAN
VIDEO

27. FOR RENT OR HIRE

B A N A X C Q H C K F H M X Q E V N Z T

R F L A V F A F B G O A F F Q A I G G J

L H G L V U S E L U N L N U N Y W I D I

K L N B L A D F S N O J I C E V Z L B Y

N F A A W S R E J W D P E V Y I M A H H

X J G H I H E A E J M E H E E D R L L F

B E S T O X S R C E E H T C U G R F I F

D O T J I H S V N O C O I E E Q I E Z F

T E D G V E S T W P A T Z P C P R B S V

R M C Y E C U U T S P E I W N T O A A S

J L Q K G E I X B N S L H F X T I Y M C

M Y P Q C U T D F G G R C Z T V E V W H

V R R T C H A V L J N O A T X S T N E T

K E A P T Y A R Y T I O O Y H E O K T E

Z L C D R A J I D A K M C W O C U H P L

F V T R C R O U R X R O E D I V Q O G A

L Y O A Q M Y B Y I A A B Q O U A I Q H

P L R A V G T R K W P M R O F I N U C C

28. PUZZLING NUMBERS 1231

1231
3253
5647
6758
8796
22162
45364
57485
86759
95049
116453
332637
574859
760594
915244
3253647
5647583
6675840
8869705
9925612
22152637
33526371
64758493
88695064
99706853
119685760
324354623
768594032
886950352
998607748
1243520879
4352637421
5473849500
7768594643
8869584730

1 3 1 4 7 0 1 8 8 0 0 5 9 4 8 3 7 4 5 7
1 9 6 2 1 7 6 2 7 1 4 7 4 6 3 5 2 3 4 7
6 3 2 6 4 5 3 4 2 3 6 7 0 4 1 3 0 2 7 4
4 6 9 9 7 7 6 2 0 8 3 3 0 7 9 3 2 5 7 6
5 3 5 0 1 0 3 6 1 0 5 6 3 5 2 5 2 3 7 8
3 4 8 5 5 5 7 6 9 2 4 2 7 8 8 8 8 1 1 2
7 9 1 9 0 5 6 4 2 9 2 3 4 4 7 5 3 4 5 2
7 6 6 2 8 4 0 4 6 5 1 3 8 9 6 2 7 3 7 9
4 8 8 6 4 5 8 7 7 1 3 4 5 3 8 2 0 6 7 5
8 2 9 5 9 3 9 5 1 5 7 4 9 7 3 5 6 3 6 1
1 1 2 6 9 0 5 0 7 7 8 5 6 5 9 9 9 1 8 4
1 5 6 1 9 4 3 2 0 6 0 3 8 6 2 9 7 2 5 4
2 5 9 4 5 1 0 6 0 7 6 6 8 4 0 2 8 6 9 7
6 1 8 1 1 2 8 3 9 8 0 8 6 1 5 5 2 9 4 6
1 7 6 2 5 9 6 6 2 7 7 5 8 3 7 6 1 6 6 0
2 6 7 6 9 2 8 3 9 4 6 9 5 3 4 1 4 0 4 5
2 2 5 6 8 8 4 9 7 0 0 9 8 0 5 2 4 7 3 9
5 9 9 0 8 1 3 4 4 1 7 3 6 2 5 3 3 8 9 4

1. MALES

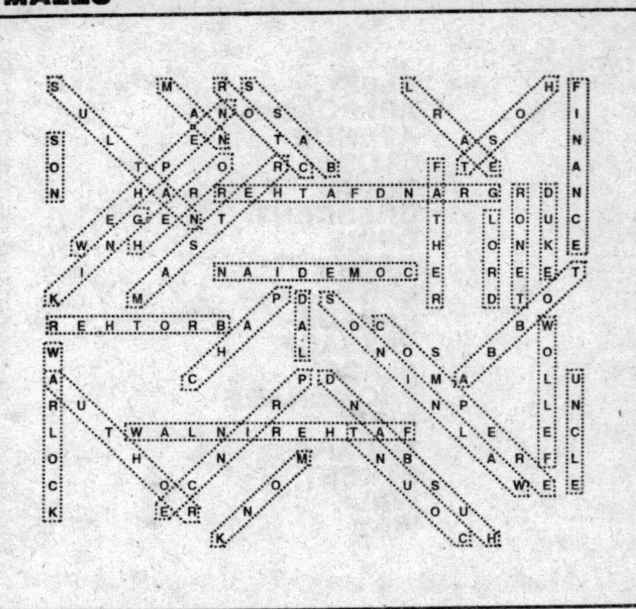

2. REMOVE FIRST LETTER-ANOTHER WORD

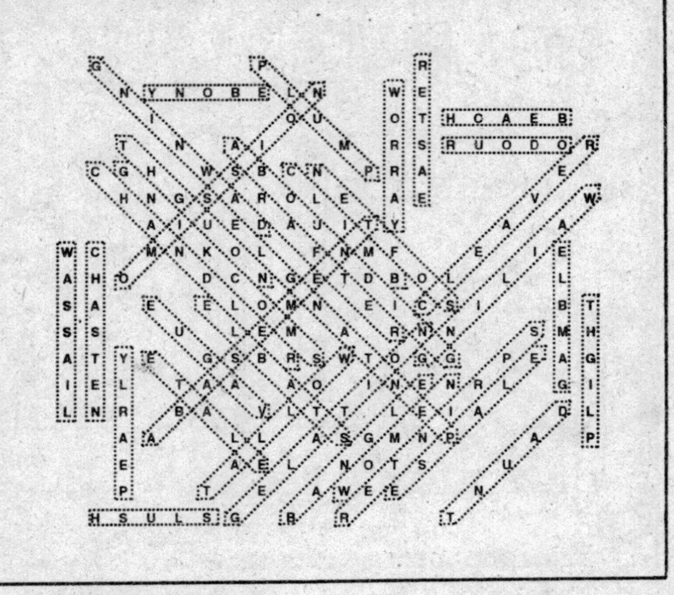

3. LEGS

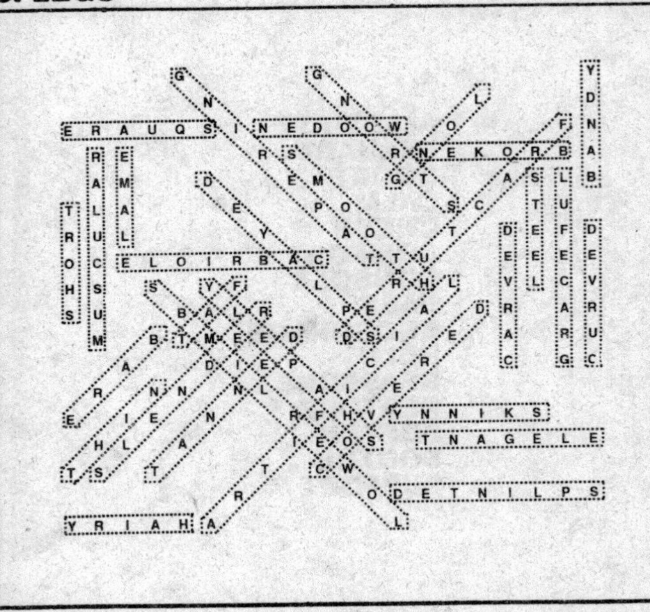

4. ALTOGETHER

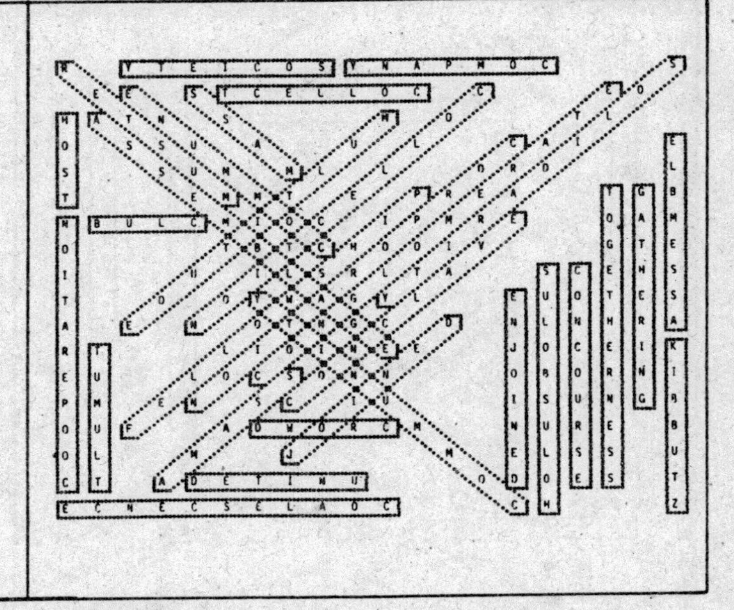

7. TO BE

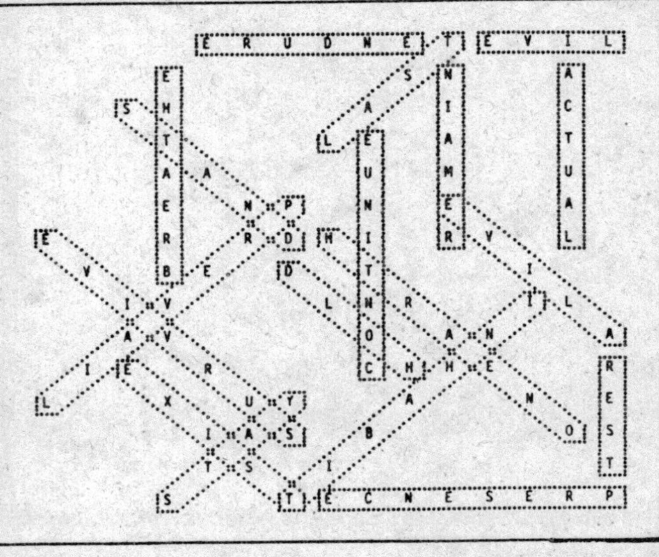

8. BIRDS

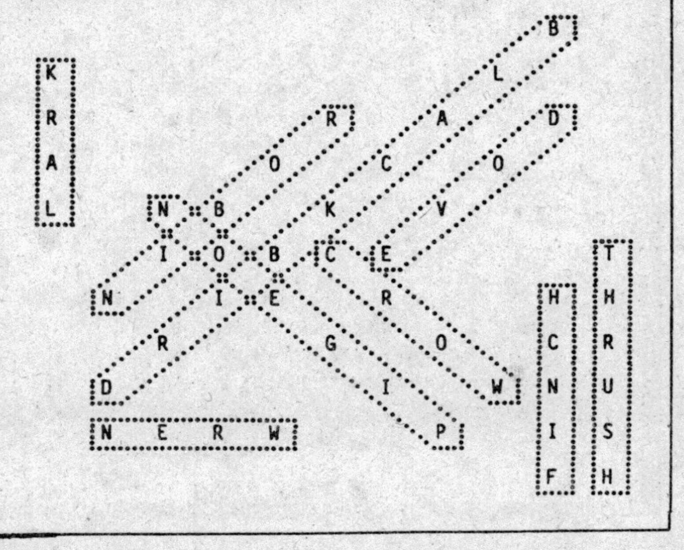

5. ROAD TO SOMEWHERE

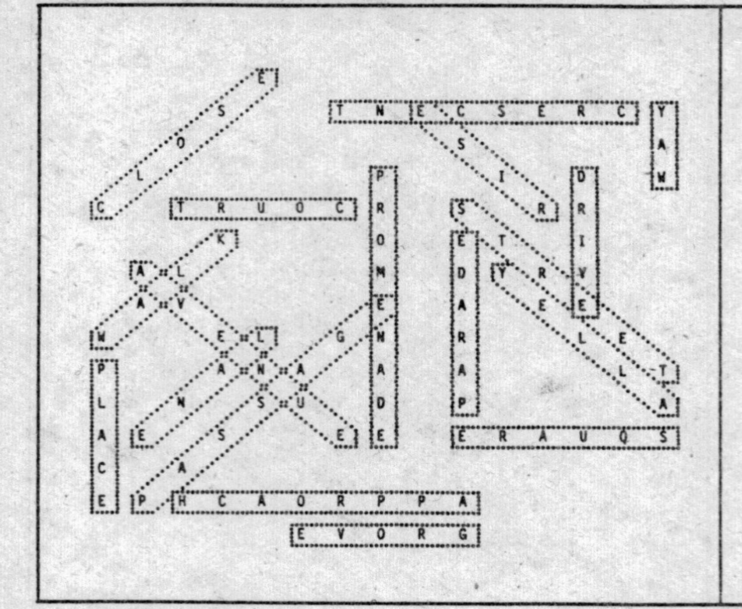

ALLEY
APPROACH
AVENUE
CLOSE
COURT
CRESCENT
DRIVE
GROVE
LANE
PARADE
PASSAGE
PLACE
PROMENADE
RISE
SQUARE
STREET
WALK
WAY

14. SOLACE

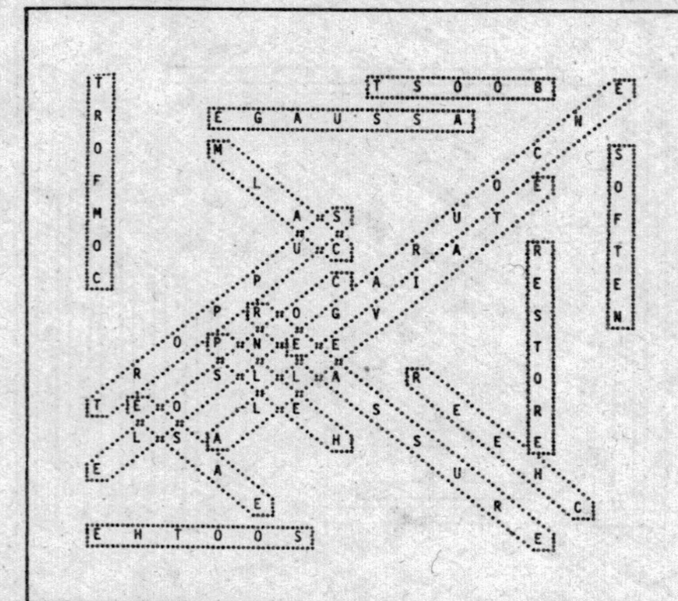

ALLEVIATE
ASSUAGE
BOOST
CALM
CHEER
COMFORT
CONSOLE
EASE
ENCOURAGE
HELP
REASSURE
RESTORE
SOFTEN
SOOTHE
SUPPORT

9. HOW DOES IT FEEL?

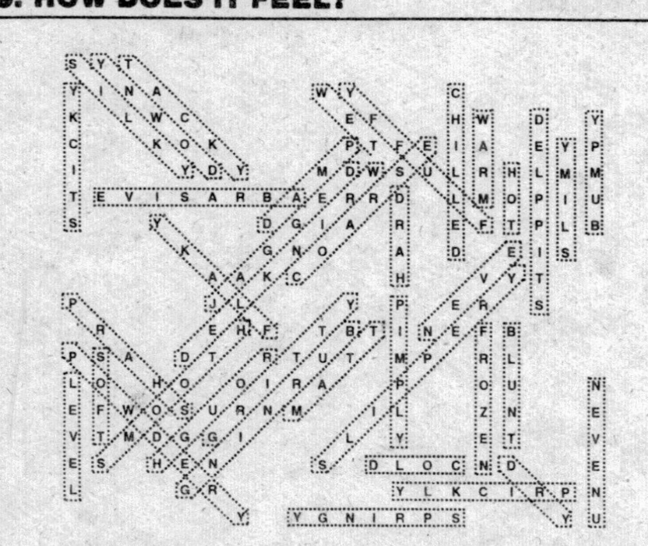

10. PAPER

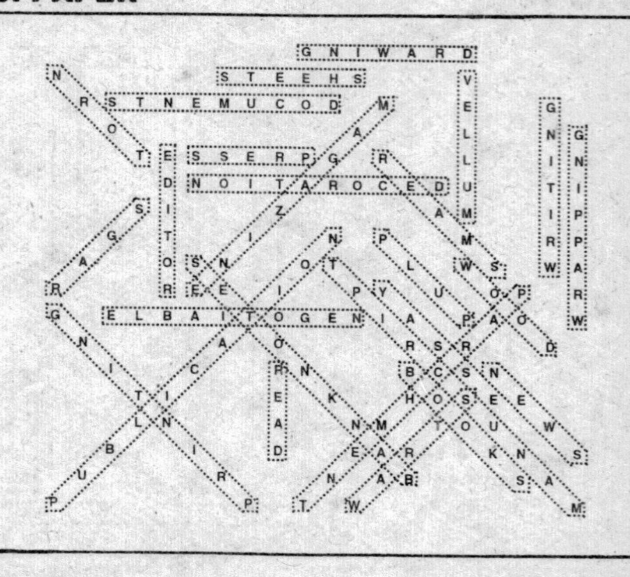

11. IN A WORKBOX

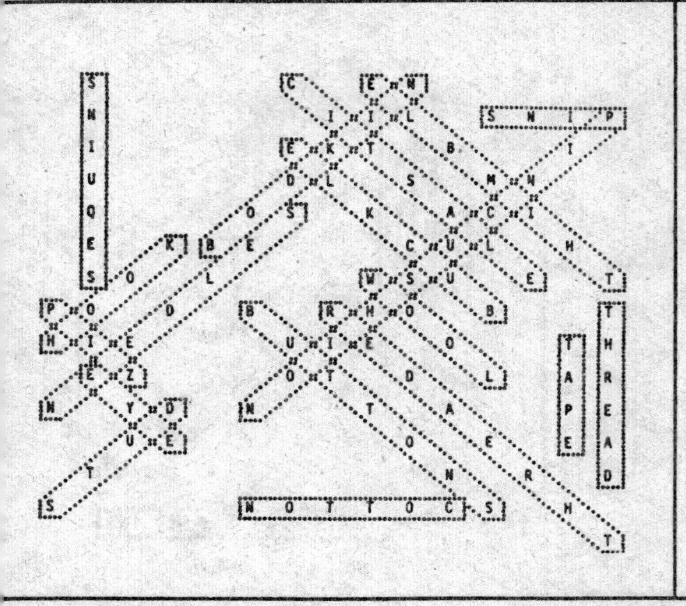

12. EXTRA

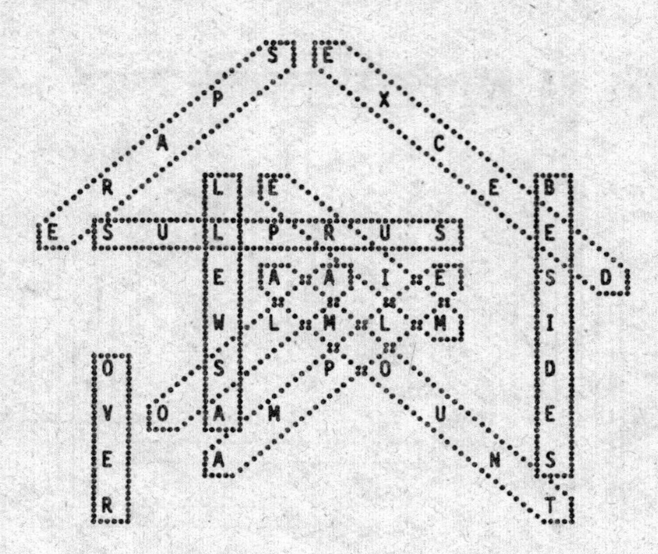

3. UNWAVERING

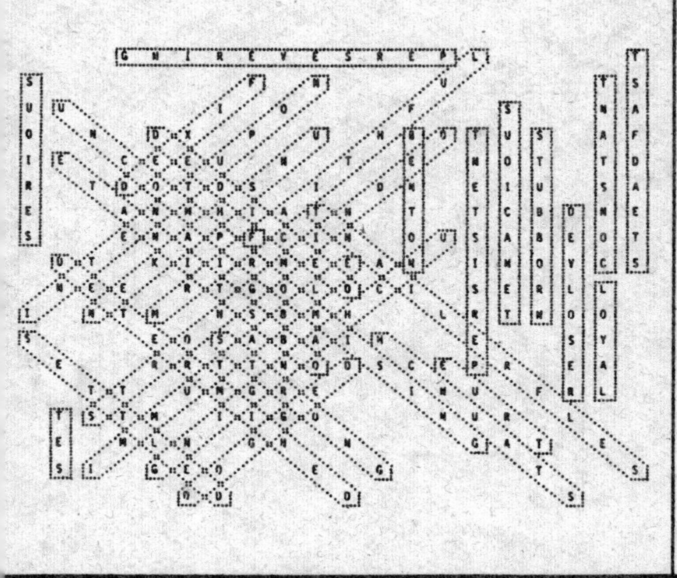

16. BITS OF MATERIAL

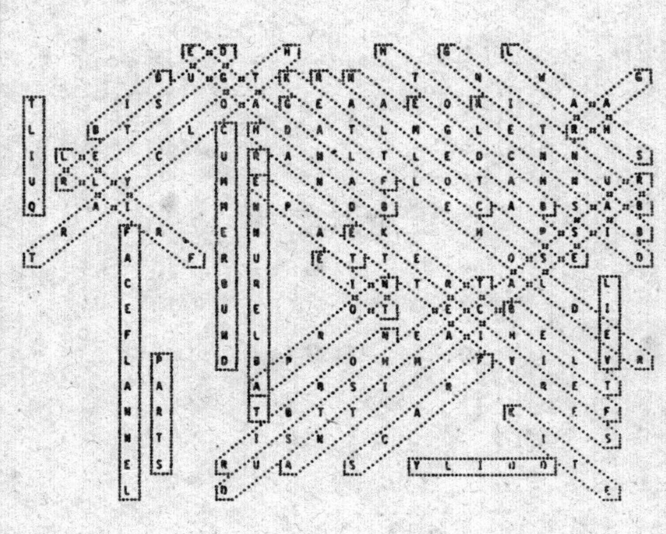

7. IT'S IMMATERIAL TO ME

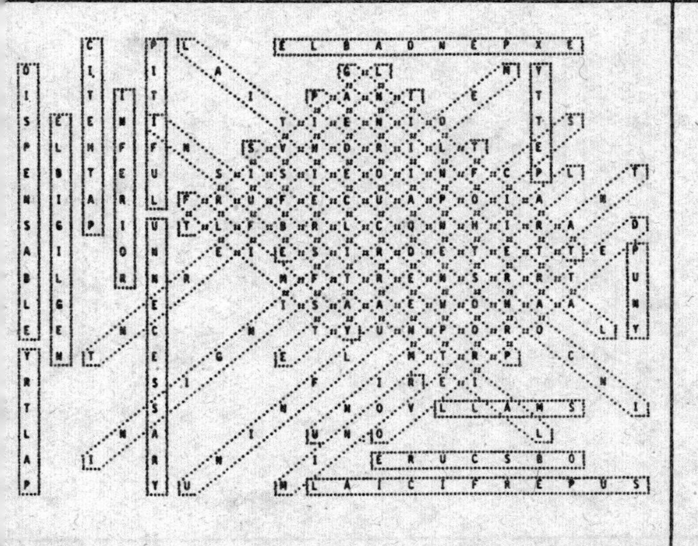

18. MAKE IT CLEAR

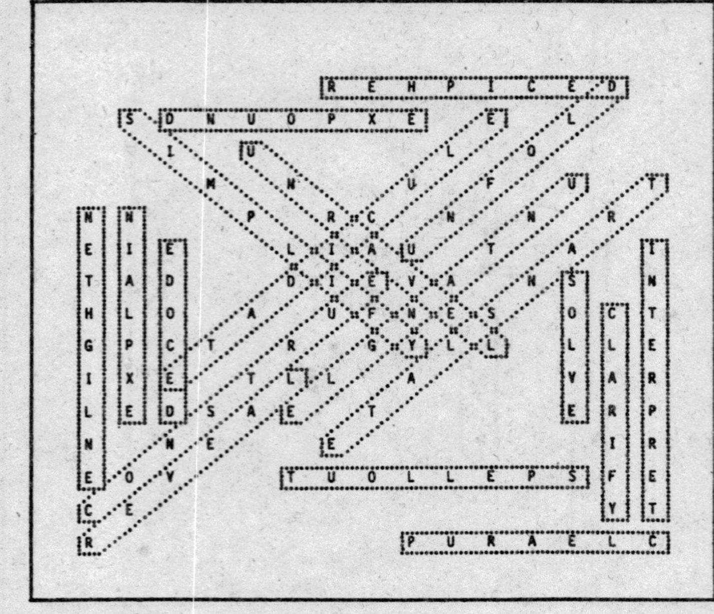

19. PLAY OF COLOURS

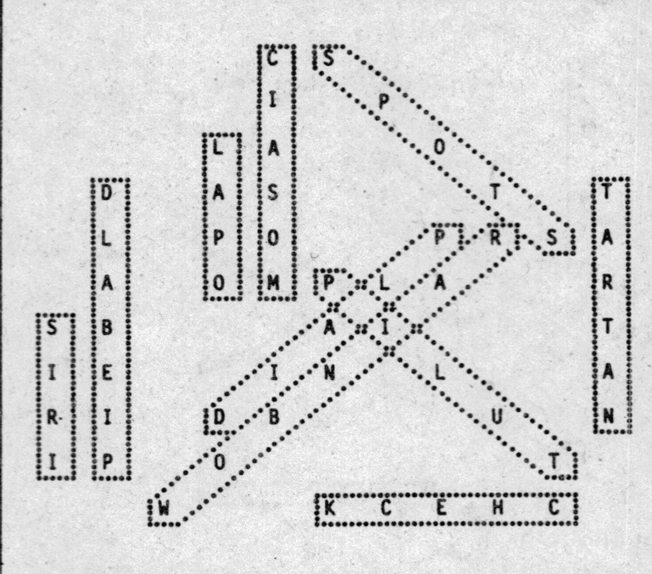

20. SH!

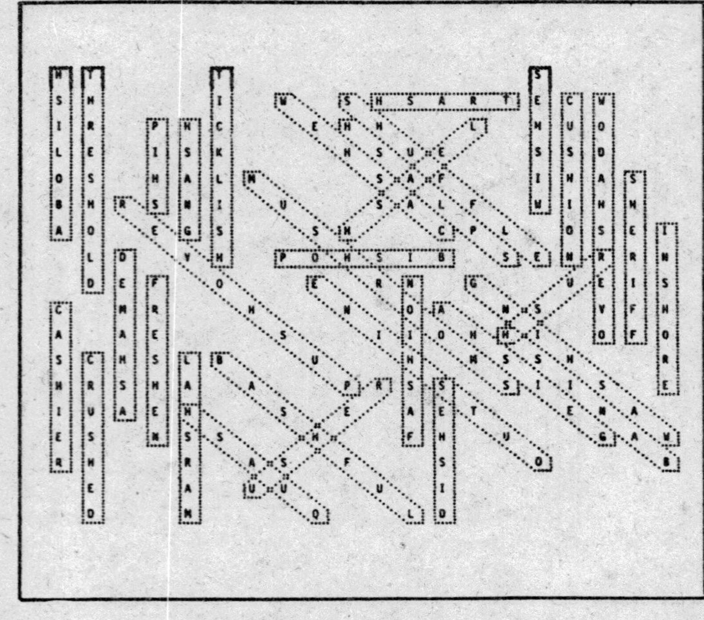

21. WHICH SHELL?

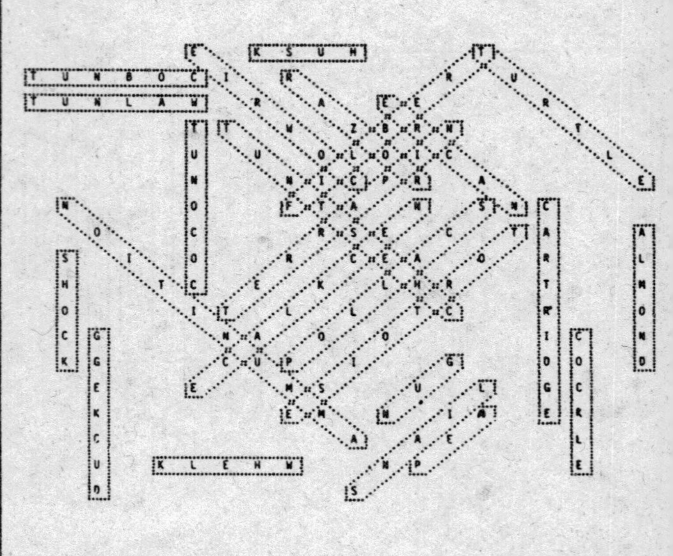

22. VOLCANIC

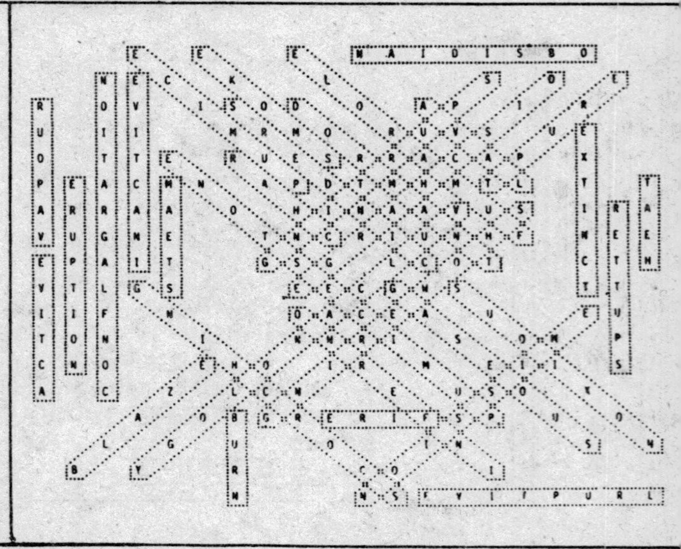

24. MUSICAL NOTES

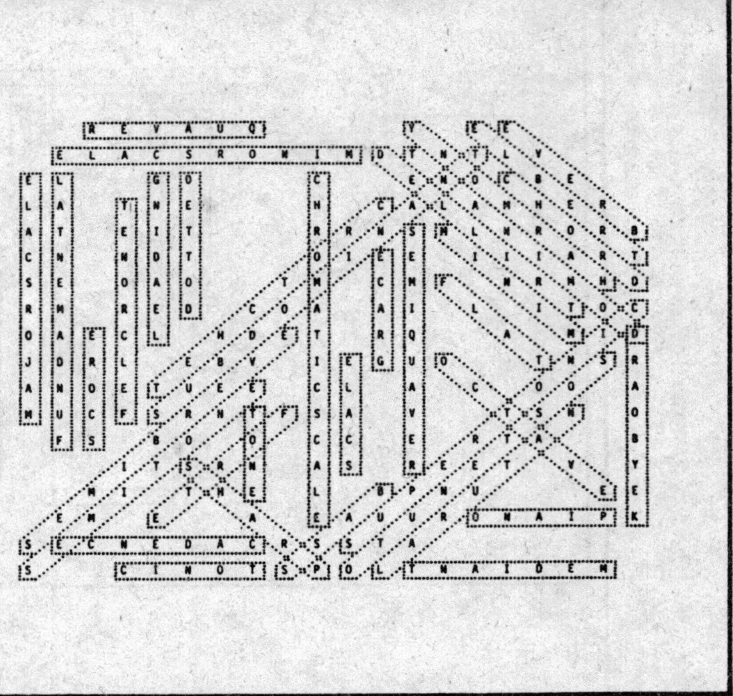

15. LEARNING THE ROPES

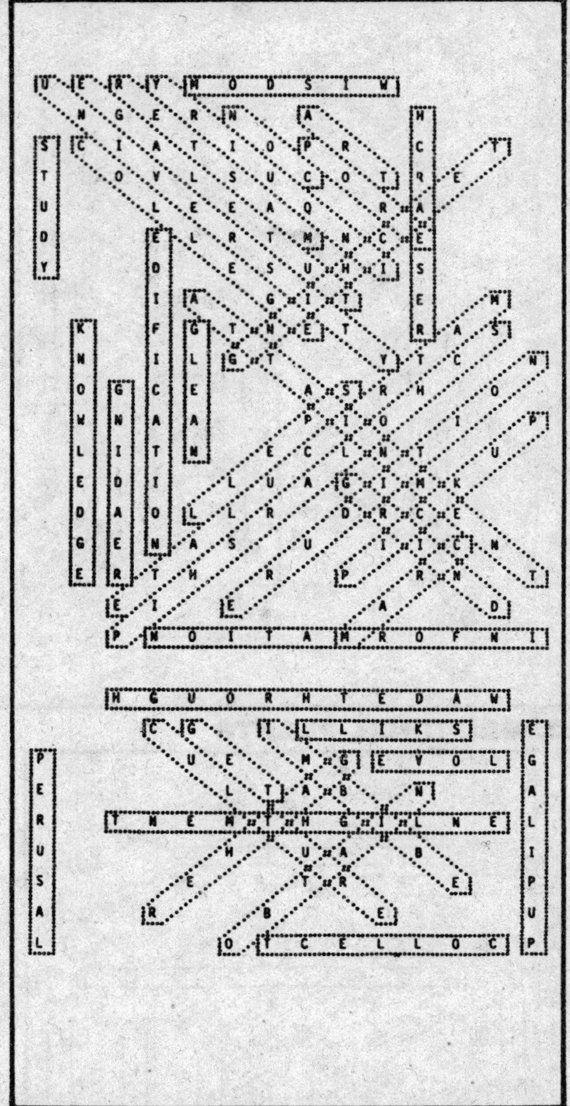

6. CORRECT GRAMMAR

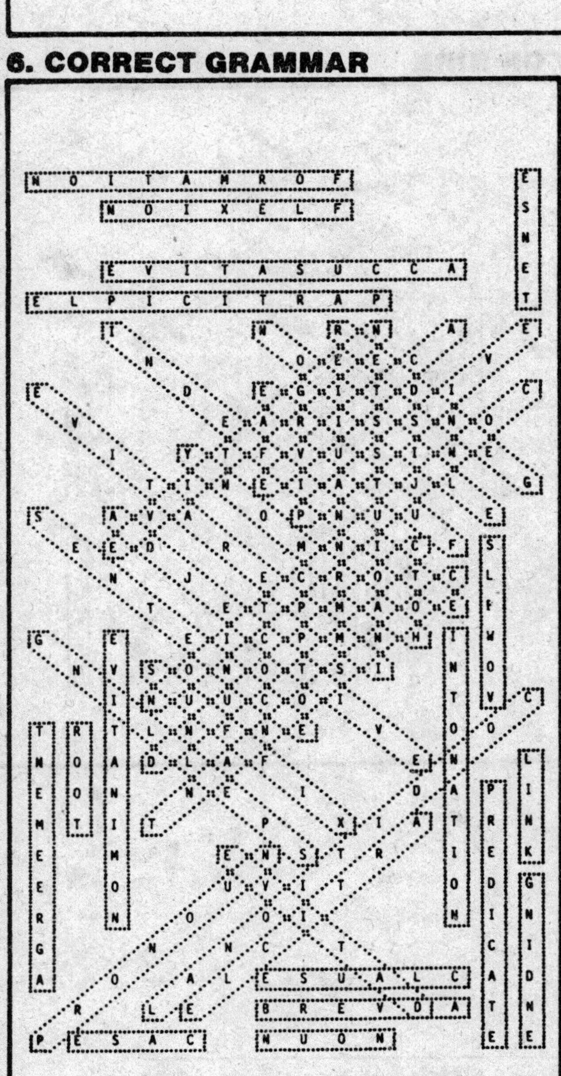

25. SUPPORTS

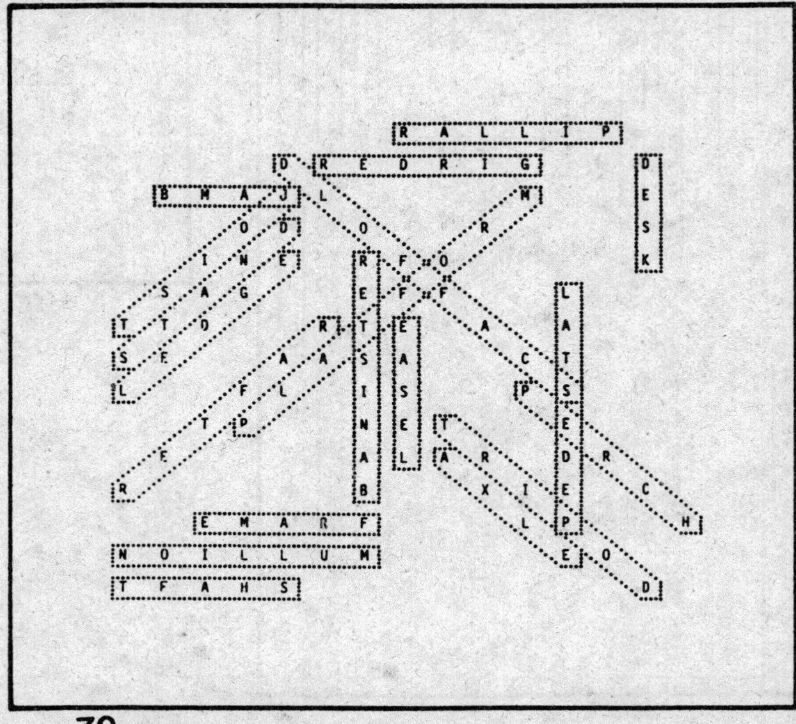

26. ARCH

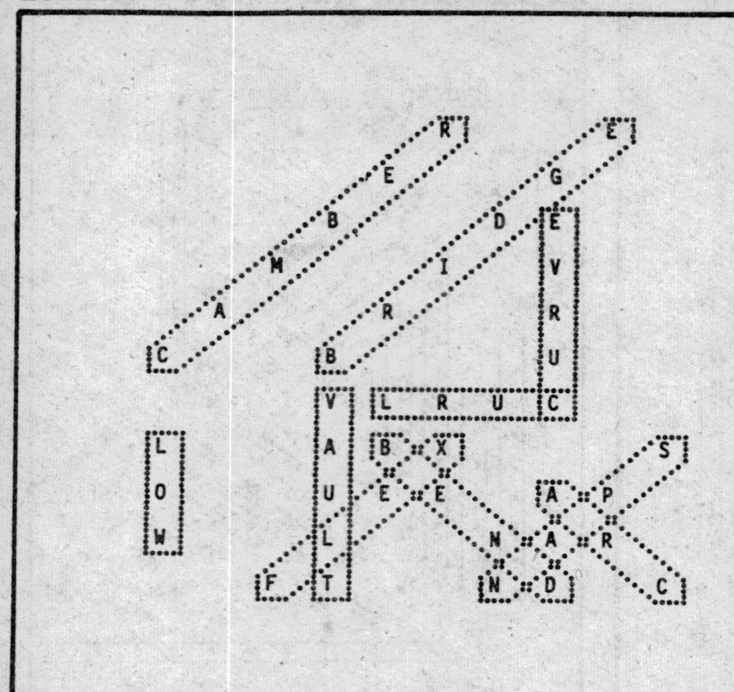

28. PUZZLING NUMBERS 1231

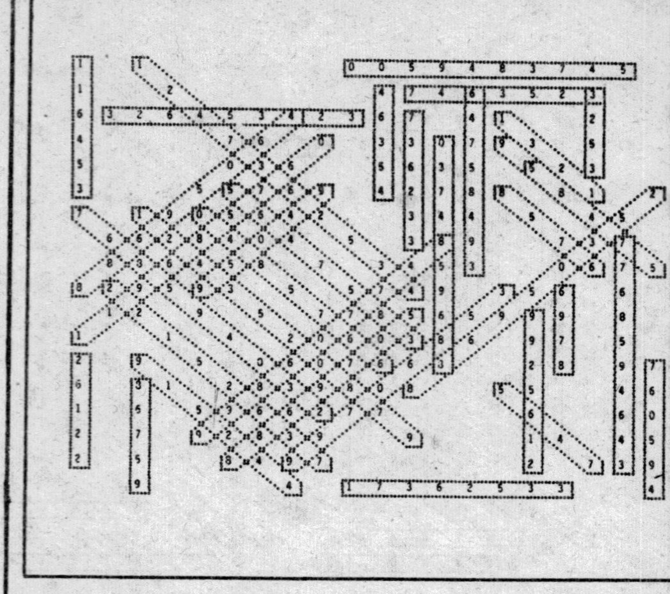

23. MEDICINAL PLANTS

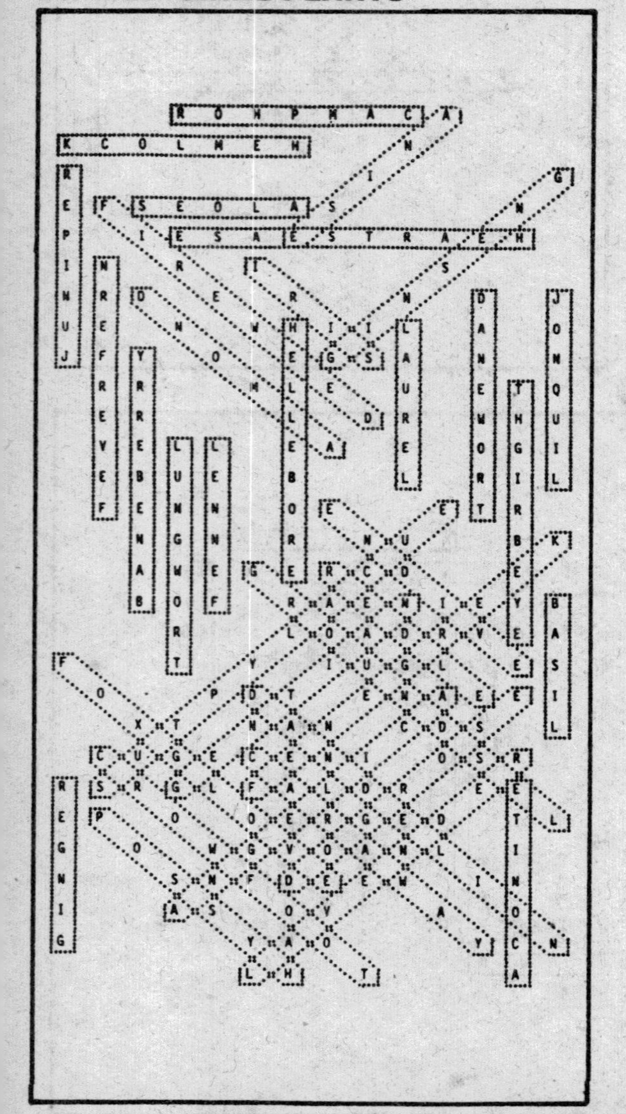

27. FOR RENT OR HIRE

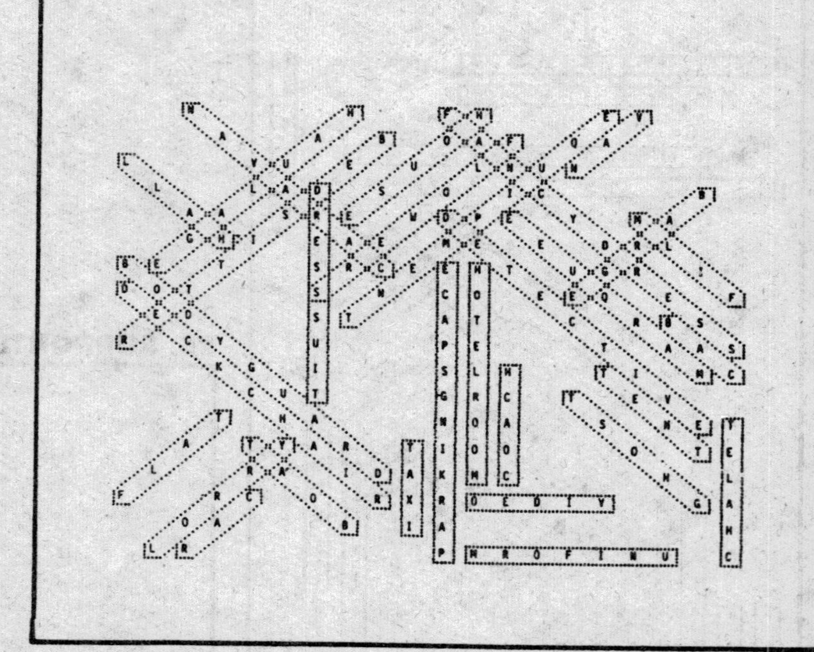

Published by Peter Haddock Limited,
Bridlington, England. Printed in India